ハ・パレスチナ・イスラエル

隠す事実

陽

Akari Iiyama

図1　中東地域地図

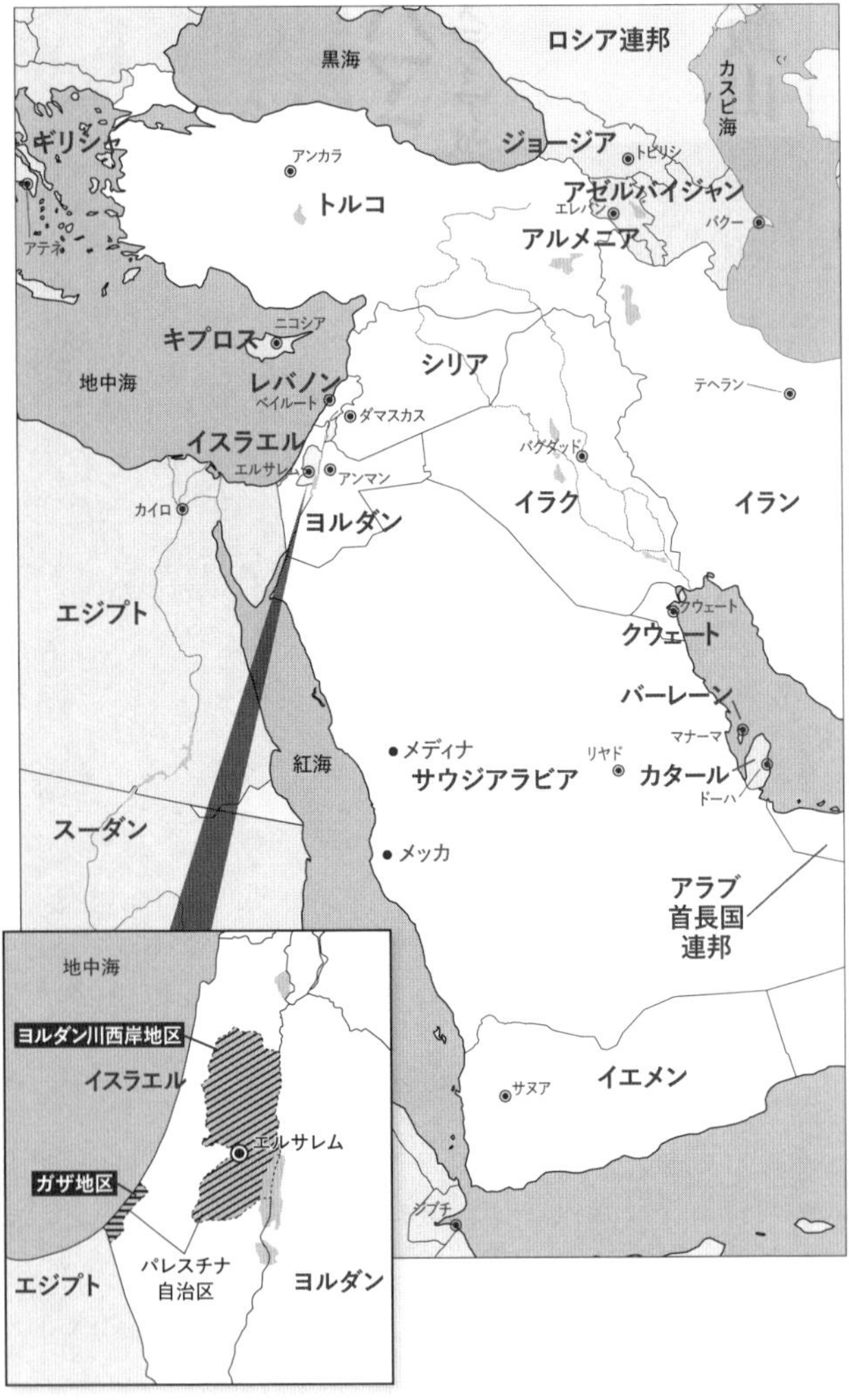

ロシア連邦
黒海
カスピ海
ギリシャ
アテネ
ジョージア
トビリシ
アンカラ
トルコ
アゼルバイジャン
エレバン
バクー
アルメニア
ニコシア
キプロス
地中海
レバノン
ベイルート
シリア
ダマスカス
テヘラン
イスラエル
エルサレム
アンマン
バグダッド
カイロ
ヨルダン
イラク
イラン
エジプト
クウェート
クウェート
バーレーン
マナーマ
メディナ
リヤド
紅海
サウジアラビア
カタール
ドーハ
スーダン
メッカ
アラブ
首長国
連邦
イエメン
サヌア
ジブチ
地中海
ヨルダン川西岸地区
イスラエル
エルサレム
ガザ地区
パレスチナ
自治区
エジプト
ヨルダン

図2　イスラエル地図

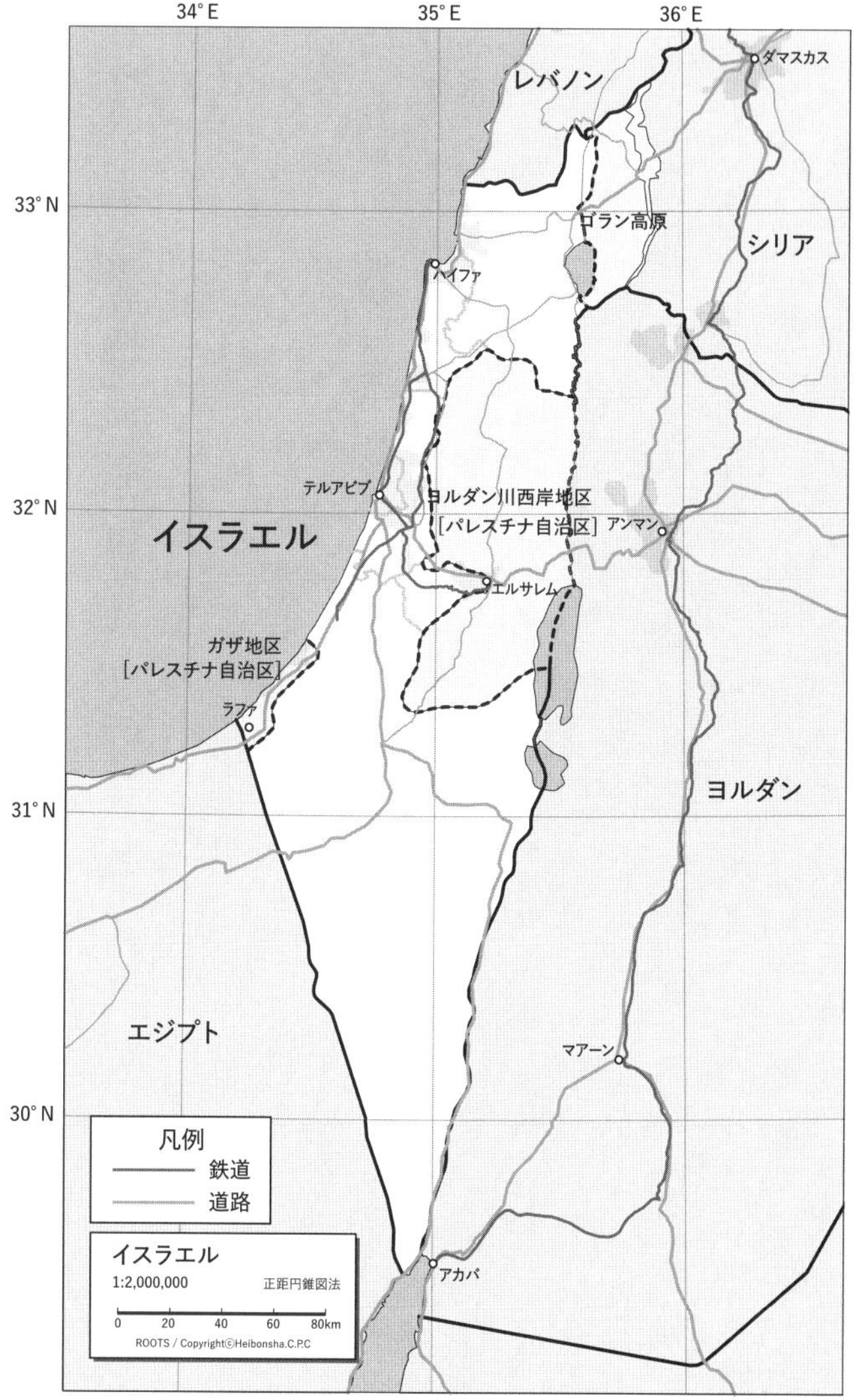
34° E
35° E
36° E
33° N
32° N
31° N
30° N
レバノン
ダマスカス
ゴラン高原
シリア
ハイファ
テルアビブ
ヨルダン川西岸地区
[パレスチナ自治区]
アンマン
イスラエル
エルサレム
ガザ地区
[パレスチナ自治区]
ラファ
ヨルダン
エジプト
マアーン
アカバ
凡例
鉄道
道路
イスラエル
1:2,000,000
正距円錐図法
0
20
40
60
80km
ROOTS / Copyright©Heibonsha.C.P.C

はじめに――〝弱者は正義〟病に冒されたメディアと「専門家」

「弱者は正義」「弱者こそ善」という観念が世界を席巻している。

日本にも、「判官贔屓《ほうがんびいき》」や「弱きを助け強きを挫く」という言葉がある。弱い者いじめはよくない、弱者に寄り添うのはよいことだという道徳は、日本人の心にすんなりと馴染む。

しかし、現在世界を席巻する「弱者は正義」という観念は、無条件かつ無批判に、弱者は常に善人であり、強者は常に悪人であると決めつける点において、日本の道徳とは全く異なる。弱者ならば何でもいいとばかりに　むやみやたらと弱者に肩入れしたり、強者ならばすべて敵だと決めつけて一方的に憎悪し、攻撃したりする態度は、日本の文化とは相容れない。

この奇妙な決めつけは、社会を構築したのは強者たる権力者だ、という「理論」に由来する。この「理論」は、権力者が自らの利権の保全のために今ある社会を作り上げ、支配しているのだと規定する。既存の制度、既存の事実はすべて権力者に資するので、それらのすべてを否定し、破壊することが「社会正義」なのだとされる。

ミシェル・フーコーやジャック・デリダといったフランスの知識人たちが提唱したこの「理論」は、人間の思考そのものを根本的に変革したと言っても過言ではなく、実際に社会や世界のあり方を大きく歪めた。

「強者たる権力者は支配者なので常に悪人である」という前提に立つと、必然的に「弱者は常に善人」となり、弱者に寄り添うことが正義となる。

これをおそらく世界で最もうまく利用しているのが、イスラム過激派テロ組織ハマスだ。

ハマスの主張はこうである。

「我々パレスチナ人は、占領者イスラエルによって虐殺されている弱者である」

「我々ハマスは、占領者イスラエルに対する弱者パレスチナの抵抗運動だ」

「社会正義」の前提に立てば、「弱者パレスチナ」の代表として「強者イスラエル」に抵抗するハマスに寄り添わなくてはならなくなる。ハマスを批判することは「社会正義」に反する悪だとされ、イスラエルに寄り添うことなど絶対に許されない。

だから、日本のメディアも「専門家」も、そして政府までもがハマスに忖度《そんたく》する。

この「社会正義」のまかり通るリベラルな社会では、「弱者」ポジションを取った者こそが称賛され、支持され、勝利する。この仕組みをハマスほど熟知し、巧妙に利用し、そして、その戦略で成功を収めている主体は他にない。

しかし、そもそもハマスはパレスチナ人の代表ではない。パレスチナ人を武力で押さえつけ、支配しているテロ組織だ。ハマスは、「イスラエル殲滅《せんめつ》」、つまり、地図上からイスラエルという国を一掃することをめざす「テロ一択」のテロ組織である。

ところが、ハマスが「弱者パレスチナ」の代表を僭称《せんしょう》するものだから、誰もがこの事実を見て見ぬふりをする。ハマスには、イスラエルとの対話や平和的共存という選択肢がないにもかかわらず、「対話主義者」や「平和主義者」ほどハマスに寄り添う。皆がハマスの「弱者」ポジション先取り作戦に踊らされ、ハマスの手のひらの上で転がされる。無邪気に「社会正義」を信じ、「弱者は常に善人」だと疑わない人々は、ハマスにとっては「使えるバカ」そのものだ。

日本のメディアは、ハマスを遠慮がちに「イスラム組織」とか「イスラム主義組織」と呼ぶ。政府に至っては、「パレスチナ武装勢力」と呼ぶ。ハマスを「イスラム過激派テロ組織」と呼べば、「弱者パレスチナ」を批判することになると勘違いしているので、誰もがそう呼ぶことを回避する。

しかし、実際ハマスはイスラム過激派テロ組織そのものだ。彼らは、イスラエルに対するテロ攻撃を「ジハード」だと誇る。ジハードというのは、イスラム教徒にとっての宗教的義務だ。「イスラムの地」を全世界に拡張する、全世界をイスラム法の統治下に置く、この宗教的目的達成のためにテロを続けるハマスを、「イスラム過激派テロ組織」ではなく「イスラム組織」だの「イスラム主義組織」だのと呼んでお茶を濁すのは、欺瞞《ぎまん》の極致だ。

メディアにとっても「専門家」にとっても政府にとっても、重要なのは事実でもなければ、事実の客観的検証でもなければ、客観的検証に基づき日本の国益に資する選択をすることでもない。自らが「弱者に寄り添う社会正義の体現者」であることを声高にアピールすることこそが、彼らにとっての最優先課題だ。

これが日本社会を蝕《むしば》む深刻な病であることが露呈したのが、2023年のことである。

2023年10月7日、イスラム過激派テロ組織ハマスが、イスラエルの民間人を標的にした無差別テロ攻撃を開始した。

ハマスは、赤ちゃんを丸焼きにし、子供の腕を切断して死ぬまで放置し、妊婦の腹を裂き胎児を引きずり出して殺し、子供の見ている前で母親の乳房を切り取り、父親の目をくり抜き、女児から老女まで女という女を骨が折れるほどの強い力で凌辱して殺し、民家に放火し一家全員を生きたまま焼き殺し、老若男女を問わず斬首し、遺体に唾を吐きかけ、遺体を車で引き回して歓声をあげた。

テロ現場の検証、法医学者による検死、ハマスのテロリストの証言、テロリストが装着していたボディカメラに残された映像など、数えきれない物証がハマスの無差別テロの凄惨さを証明している。それは皮肉なことに、外国人の斬首や同性愛者の処刑で知られるイスラム過激派テロ組織「イスラム国」が相対的にマシに見えるほどであった。

日本以外のG7諸国は、直ちにこれをテロと非難し、イスラエルの自衛権行使を支持すると表明した。しかし、日本政府はこれをテロと呼ばず、代わりに当事者に「自制」を求める声明を出した。テロ開始から5日が経過した後、日本政府は、これをテロと呼ぶことにしたと翻意を表明したが、相変わらずハマスを「パレスチナ武装勢力」と呼び、イスラエルの自衛権行使は支持せず、「イスラエルには自衛権がある」という一般論の表明に終始した。

日本政府は、5日間「検討」し、日本以外のG7各国が口を揃えてテロと言うので仕方ないから一応テロと言っておこうと判断した。

しかし、メディアや「専門家」にはそんな忖度も必要ない。パレスチナは弱者なのだから常に絶対的に善なのだ、ハマスが将来的なパレスチナ国家建設という「パレスチナの大義」を掲げて行動している以上、ハマスに寄り添うことこそが正義であり、イスラエルに寄り添うことは絶対悪なのだ、という立場を一貫することで、彼らはその姿勢こそが正義であると日本の大衆に示し続けた。

「専門家」は、一般の日本人に対し、中東問題は複雑で難しいからあなた方のような無知蒙《もう》昧《まい》の大衆には理解できない、だから、我々に従い、「弱者であるパレスチナは絶対善」「強者イスラエルは絶対悪」と思っておけばいいのだと訓示する。

彼らは、「ハマスはイスラム過激派テロ組織」と解説する代わりに、「ハマスは福祉団体」「ハマスは政党」「ハマスはパレスチナ人によりよい生活を提供することをめざしている」と解説することで、ハマスを平然と擁護した。

　イスラエルがハマスの支配するガザ地区に対する軍事作戦を開始すると、この傾向は一層加速した。

　イスラエルの軍事作戦の標的は、パレスチナ人の民衆ではなくハマスである。イスラエルは毎日繰り返しそう発表し、民間人を軍事作戦に巻き込まないよう、ビラを撒き、電話をかけ、ショートメールを送り、警報を鳴らし、ルーフ・ノッキング（屋根たたき。攻撃対象となる建物の屋根に非爆発性または低爆発性の装置を投下すること）をして退避を呼びかけ、安全地帯を用意し、作戦決行を遅らせた。

　ところが、2週間、3週間と退避期間を設けても、イスラエル軍がハマスの軍事拠点を狙った攻撃をすると、民間人の死者が出る。ハマスが民間人を「人間の盾」として利用しているからだ。

　ハマスは民間人、特に子供や女性、病人や負傷者を「配置」しておけば、そこをイスラエル軍が攻撃しないことを知っている。だからこそ、彼らは民間人の退避の邪魔をし、「イスラエルに騙《だま》されるな」と彼らを脅す。ハマスは、戦略的に子供の遊び場やモスクなどにロケットランチャーを設置し、病院や学校の中や地下に司令本部を構え、武器を隠し、自らは地下に500㎞にわたって張り巡らされているトンネルに逃げ込んで身を守る。

ガザには長大なテロ・トンネルはあるのに、民間人が身を守るためのシェルターは一つもない。ハマスの高官は、「トンネルは我々ハマスのためのものであり、民間人のためのものではない。民間人の面倒を見るのは国連と占領者イスラエルだ」と平然と言ってのける。彼らには、自分が卑怯者だという認識など全くない。

ハマスは、イスラエル軍の標的となる場所にわざわざ子供や女性を100人規模で「派遣」し、「配備」することも厭《いと》わない。ハマスの指導者はこう言う。「パレスチナ人はパレスチナのために進んで犠牲を払う。パレスチナ人は皆、喜んで自らの血も魂もパレスチナに捧げるのだ」と。

しかし、メディアも「専門家」もこうした事実を無視する。

テレビは、「イスラエル軍によって空爆され、破壊されるガザ」や「空爆され、泣き叫ぶパレスチナ人たち」といった感情を刺激する映像をひたすら流し続け、新聞は、「イスラエル空爆によりパレスチナ人1万人が死亡」といったセンセーショナルな見出しでこれを報じる。

こうした情報に日々さらされる人々は、ハマスがイスラエルの民間人1200人をテロで惨殺したことなどすっかり忘れ、「弱者であるパレスチナ人を虐殺するイスラエルは悪だ」

と思い込む。そして、自分が「イスラエルは悪」というポジションを取ることによって、「いい人」「正しい人」でいられるのだと安心する。

メディアが強調するのは、「圧倒的軍事力を持つ強者」としてのイスラエルと、ガザという「天井のない監獄」に閉じ込められ、逃げ場を失った哀れな弱者としてのパレスチナ人という非対称性である。「強者は常に悪人、弱者は常に善人」という人々の「思い込み」を強化する映像と、大量虐殺や民族浄化、ジェノサイドといった感情的言葉が、繰り返し繰り返し人々の五感を刺激し続ける効果は絶大だ。

「弱者は正義」病に冒されたメディアと「専門家」のせいで、日本人の多くは、ハマスについてもパレスチナについてもイスラエルについても、客観的事実、正しい情報をほとんど知らない。そして、「やっぱりイスラエルが悪いよね」といい人ぶる。日本国民一人ひとりのその態度こそが、日本政府を奇妙な「バランス外交」に走らせて日本という国を孤立させ、今ある社会を破壊し、我々の安全で平穏な暮らしを脅かしているという問題に気づく人もほとんどいない。

「弱者は正義」は本当にいつも正しいのか？

弱者は本当に常に善人なのか？

弱者であれば何をやっても許されるのだろうか？
弱者であれば赤ちゃんをなぶり殺すことすらも正当化されるのか？
弱者の側に寄り添うことは、常に正しいのか？
弱者を擁護するためならどんなウソも許容されるのか？
弱者ポジションを取った者こそ報われる社会を我々はめざしているのか？
弱者とは本当は何者なのか？
弱者に寄り添う人は、本当は何を目的にしているのか？

中東外交、中東報道、中東研究の歪みは、日本社会の歪みそのものだ。私は無力な一介の中東研究者にすぎない。しかし、一介の中東研究者として、日本のためにできることはすべてやろうと決意している。

本書には、これまで私がハマスやパレスチナ、イスラエルについて書いてきた記事を収録している。

本書を出版したところで、「圧倒的多数派にして強者」である日本のメディア、「専門家」、そして、政府のスタンスが変わることはなかろう。それでも、「おかしい」と声をあげる者が誰一人いないよりは、一人でもいた方がまだ救いがある。どんな問題であれ、一つの意見しか存在せず、誰もが熱に浮かされたようにその唯一の意見を正しいものとして支持するという状況は、民主主義社会において明らかに異常だ。

何が正しく、何が間違っているのか。日本はどの立場を取るべきか。判断するのは日本国民一人ひとりだ。私の示す選択肢が、一人でも多くの人に届けば幸いである。

目次

ソ／ハマスの拉致を正当化する防衛大准教授／国際政治学者の「イスラエルの作戦は占領政策」の矛盾／極左の前衛ハマスを擁護する国際政治学者たち／TBS『サンデーモーニング』のウソ報道を暴く／あまりに偏ったNHKイスラエル嫌悪報道／「ハマスはボランティア団体」というウソを広めるテレビ朝日

ハマスの蛮行をテロと呼ばない岸田首相の不見識／EUがパレスチナ支援を見直す理由／パレスチナ自治政府に停戦を呼びかける岸田首相の愚行／日本政府が急に「ハマスはテロ」と言い始めた理由／岸田政権の「全方位嫌われ外交」／ガザの病院爆発でハマスのウソに騙された日本政府／日本を除くG7がイスラエルの自衛権支持／岸田首相はイスラエルの自衛権を擁護したのか？／岸田政権の「中立」外交は〝夜郎自大〟／岸田政権100億円パレスチナ支援がハマス支援になる理由／G7に呑み込まれイランに嘲笑される岸田政権／日本は仲介役になれるという「専門家」のウソ

第3章　イスラム過激派テロ組織ハマスの正体

1969年	ゲリラ組織ファタハの指導者だったアラファトがPLO第3代議長に就任
1972年	5月、日本赤軍によるテルアビブ（ロッド）空港乱射テロ事件 9月、ミュンヘン五輪でイスラエル人選手ら11人がパレスチナ過激派組織「黒い九月」により殺害される
1973年	10/6、第四次中東戦争。日本で第一次オイルショック
1979年	イスラエルがエジプトと平和条約を締結
1987年	ガザでイスラエルの占領に対してパレスチナ人が蜂起（第一次インティファーダ）。ハマス設立
1993年	イスラエルとPLOがパレスチナ暫定自治原則宣言（オスロ合意）に署名
1995年	パレスチナ自治政府（PA）が自治を開始
2000年	イスラエル・パレスチナ間の衝突（第二次インティファーダ）
2004年	アラファトPLO議長死去
2005年	1月、パレスチナ大統領選挙でアッバース首相が大統領就任 8～9月、イスラエル、ガザ撤退
2006年	1月、パレスチナ立法評議会選挙でハマスが過半数議席獲得
2007年	6月、ハマスが武力でガザ地区を掌握
2008年	12月、ハマスがイスラエルにロケット弾発射、イスラエルはガザ空爆
2012年	11月、イスラエルがガザ空爆、ハマスはロケット弾発射
2014年	7/6、ハマスがイスラエルへロケット弾発射、イスラエルがガザ空爆と地上侵攻、8/26エジプトの仲介で停戦
2018年	10月、ガザからイスラエルへロケット弾発射、イスラエルはガザ空爆
2020年	イスラエルがUAE、バーレーン、スーダン、モロッコと国交正常化に合意（アブラハム合意）
2021年	5月、ハマスがイスラエルへロケット弾攻撃し軍事衝突
2022年	8月、イスラエルとイスラム聖戦が衝突
2023年	10/7、ハマスがイスラエルに大規模テロ攻撃

［外務省、公安調査庁ウェブサイト、報道情報などをもとに編集部作成］

図3　イスラエルとパレスチナの基本情報

●イスラエル国

人口　約950万人（イスラエル中央統計局2022年5月）

民族　ユダヤ人（約74%）、アラブ人（約21%）、その他（約5%）（イスラエル中央統計局2022年5月）

宗教　ユダヤ教（約74%）、イスラム教（約18%）、キリスト教（約2%）、ドルーズ（約1.6%）（イスラエル中央統計局2020年）

GDP　約4,816億ドル（世界銀行2021年）

●パレスチナ

人口　約548万人（西岸地区約325万人、ガザ地区約222万人）（パレスチナ中央統計局2023年）。なおパレスチナ難民数は約639万人（西岸108万人、ガザ164万人、ヨルダン246万人、シリア65万人、レバノン54万人）（UNRWA 2021年）

人種・民族　アラブ人

宗教　イスラム教（92%）、キリスト教（7%）、その他（1%）

GDP（名目）　約188.18億ドル（IMF推定2022年）

略　史

1918年	第一次世界大戦後、オスマン帝国領の一部（いわゆる「パレスチナ」）は英国の統治下に
1947年	国連総会は英国委任統治領パレスチナをアラブ国家とユダヤ国家に分割する決議を採択
1948年	英国委任統治終了、イスラエルが独立宣言。エジプト、シリア、ヨルダン、レバノン、イラクのアラブ連盟5か国と第一次中東戦争。ガザがエジプト領に編入
1956年	第二次中東戦争
1964年	アラブ連盟によりパレスチナ解放機構（PLO）設立
1967年	第三次中東戦争。イスラエルがヨルダン川西岸・ガザを占領

序章　私たちはテロを容認するのか

メディアに蔓延するハマス擁護とイスラエル批判

「なぜハマスはイスラエルに大規模攻撃をしたのか?」

「なぜ今、このタイミングなのか?」

「なぜ勝ち目もなく、パレスチナ人にも大きな犠牲が出ることがわかっているのに攻撃するのか?」

２０２３年10月7日にイスラム過激派テロ組織ハマスがイスラエルに対し大規模テロ攻撃を開始して以来、こうした疑問を持つ人が多い。

現在、メディアで流布している「専門家」の回答は、おおむね次のように集約される。

「なぜなら、イスラエルの占領や貧困、失業などにより、パレスチナ人が絶望し、不満が爆発したからである」

「なぜなら、アラブ諸国とイスラエルの間の和平が進み、ハマスが疎外感や焦燥感を覚えたからである」

「なぜなら、イスラエルに極右政権ができ、ハマスが反発を強めたからである」

はっきり言おう。これらの回答は背景を説明しているように見えて、実はハマスを擁護している。

ハマスはこんなに追い詰められていたんだ、だから、あのような攻撃に出るのも仕方がなかったんだ、とハマスの事情をおもんぱかり、逆にハマスを追い詰めた側を非難する。彼らの槍玉に上がるのは決まってイスラエルであり、サウジアラビアや、時には米国や英国の時もある。

疎外や焦燥を感じたらテロをするのも仕方ない、貧しい人や失業者は絶望してテロに走るものだという言説は、もっともらしいようでいて、極めて差別的で侮蔑的だ。疎外感を覚えたからといってテロをする人などほとんどいない。貧者も失業者もテロになど走らない。

テロリストは、テロをするからテロリストになるのだ。貧乏だからテロリストになるわけでも、失業者だからテロリストになるわけでもない。

そもそも、こうした言説はハマスとパレスチナ人を混同している。ハマスはガザ地区を武力で実効支配しているイスラム過激派テロ組織であり、パレスチナ人の正当な代表でも何でもない。むしろ、パレスチナ人はハマスによって支配され、搾取され、蹂躙《じゅうりん》され、「人間の盾」として利用されている被害者だ。

メディアに流布するハマスを擁護するニュアンスを帯びた解説は、ハマスへの同情を引き起こし、代わりにイスラエルへの憎しみを生むという問題もある。結果として、ハマスが無差別テロ攻撃を実行し、１２００人を超えるイスラエル人の命をむごたらしく奪ったという事実が矮小化される。これは悪しき印象操作だ。

ハマスが狙うパレスチナ自治政府の〝利権〟

実は、ハマスのテロ攻撃の背景には、日本の「専門家」がほとんど言及しない問題がいくつもある。

一つ目はパレスチナ内部の抗争だ。

現在、国際社会においてパレスチナ人の代表とされているのはパレスチナ自治政府である。パレスチナ自治政府は、パレスチナ解放機構とイスラエルによるオスロ合意（１９９３年）に基づき、１９９４年に設立された。

重要なのは、パレスチナ自治政府が世界中から集まるパレスチナ支援金の主たる受け皿となっている点だ。日本もパレスチナに対し、ここ30年間で23億ドル（約３４００億円）を支援してきた。パレスチナ自治政府はこうした支援金で運営されているのだが、支援金の一部は汚職に消える。その割合は少なくない。

ハマスが狙うのは、このパレスチナ自治政府が独占している利権だ。自分たちがパレスチナの正当な代表となれば、世界からの支援金をほしいままにできる。

ハマスは「清貧の戦士」などでは全くない。カネに目がない金満テロ組織だ。年間7億ドルの収入があるとされ、ハマスの指導者イスマイール・ハニーヤはカタールの高級ホテルに暮らしており、米経済誌『フォーブズ』はハマス政治部門外交部トップのハーリド・マシュアルの資産が50億ドル（約7500億円）を超えたと報じた。ハマスのトップ3の総資産は1兆円を超える。彼らはいつも、ハマスのテロやガザ空爆をカタールの放送局「アルジャジーラ」の画面で眺める。高みの見物だ。

ハマスが、パレスチナ自治政府に代わりパレスチナ人の正当な代表となるためには、何よりもパレスチナ人たちの支持が必要だ。だから、彼らは度々、勝てるわけがないにもかかわらず、イスラエルに対して無差別テロ攻撃を仕掛ける。ロケット弾がイスラエルに向けて次々と発射され、それがイスラエル人を殺傷すれば、人々は喜んで祝福する。

今回はロケット弾だけでなく、およそ1000人のハマスのテロリストが越境してイスラエル領内に入り、音楽フェスに参加していた若い女性たちを次々と凌辱して殺害したり、集団農場（キブツ）に暮らす人々の家に次々と突入し、女性や子供を後ろ手に縛って処刑したり、乳幼児を斬首したりするなど、筆舌に尽くしがたい蛮行を繰り広げた。彼らはそれらを得意げに動画に収め、自らインターネット上に公開した。こうした一連の行為が、パレスチナの人々を喜ばせハマス支持につながると彼らは思っているのだ。

だからこそ、彼らは「絵的に派手」なテロをする。これは「宣伝としてのテロ」なのだ。これでパレスチナの人々が、やはり我々の代表はパレスチナ自治政府ではなくハマスであるべきだと思うようになれば、ガザで武装蜂起したように、ヨルダン側西岸でも武装蜂起することができるかもしれない、と彼らは考えている。成功すれば、パレスチナ自治政府に代わり、ハマスがパレスチナ代表の座に座ることも夢ではない。

ハマスの巧みな印象操作

二つ目は、国際世論の操作、印象操作である。

ハマスは、軍事や諜報、武器庫といった拠点を、ガザの学校やモスク、病院、住宅地の地下に設置する。そうすれば、ハマスがテロをしてイスラエル軍が反撃した際、必ずそれらが標的とされ、民間人が巻き込まれて犠牲になるからだ。これがハマスの「人間の盾」作戦である。

ハマスは、子供の犠牲者数を強調することでイスラエルの非人道性、残虐性を国際社会に訴える。世界中のメディアが、爆撃され廃墟となったガザと犠牲になった住民の姿をセンセーショナルに報道する。世界中の人々がこれを見て、中東問題やパレスチナ問題は複雑でよくわからないけれど、とにかくイスラエルは残虐な国で悪なんだという印象を持ち、弱者たるパレスチナの味方をすることが道徳的に正しいのだと理解する。その中でハマスは、かわいそうなパレスチナ人を体を張って守り、命をかけて戦う、正義の戦士だと印象付けられる。

これがハマスの戦略だ。

日本のメディアや「専門家」は、ハマスの狙い通りに動くコマである。ハマスは、メディアや世論をどう動かすか熟知しているのだ。

対イラン制裁緩和の影響

ハマスの大規模テロ攻撃がこのタイミングで実行された背景にも、「専門家」が語らない要因がある。それは対イラン制裁の緩和だ。

ガザが包囲されているにもかかわらず、ハマスが数万発のロケット弾をはじめとする大量の武器を保有しているのは、イランからの資金援助と技術協力があるからだ。これはイランもハマスも認めている公然の事実である。

米国オバマ政権は2015年にイランと核合意を結び、対イラン制裁を緩和したが、トランプ政権は核合意から離脱し、再度イランに対する制裁を強化した。

ところが、バイデン政権は核合意再建をめざし、徐々に対イラン制裁を緩和している。2023年9月にはイランで収監されていた米国人5人の解放と引き換えに、韓国で保管されていたイランの資産60億ドル（約8860億円）の凍結を解除した。

対イラン制裁が緩む中、イランは中国との関係を強化し、今は大量の石油を中国に売ることで外貨を獲得し、イラン経済の状況は急速に改善している。イランはロシアに自爆ドローン等の兵器を供給するなど、武器の輸出も推進している。

イランに潤沢な資金が入ることはすなわち、ハマスに潤沢な資金が入ることを意味する。バイデン氏が大統領に就任した2021年以降、イランのハマスに対する資金援助は、1か月に500万ドル程度から3000万ドルにまで増額されたとも報じられている。

今回のハマスの大規模テロ実行が、こうしたタイミングで発生したことも重要だ。

日本は民主主義国である。日本以外のG7諸国は、首脳たちが繰り返しハマスのテロを非難し、我々はイスラエルの側に立つというメッセージを出している。テロというのは暴力の行使によって他者を恐怖に陥れ、それによって自己の政治的目的を達成しようとする手段のことだ。ハマスのやっていることはまさに、テロそのものである。

日本以外のＧ７諸国がハマスのテロを繰り返し非難するのは、テロが民主主義の大敵であるからに他ならない。テロを容認すれば民主主義は崩壊する。国際秩序も消えてなくなる。ハマスは追い詰められたのだからああするのも仕方がない、ハマスをあそこまで追い詰めたイスラエルが悪いなどと悠長な「解説」をし、中立を装い道徳的高みに自らを位置付けて満足している場合ではない。

日本はテロを容認するのか。歴史的背景があれば、やむにやまれぬ事情があれば、テロもやむなしというのが日本の立場なのか。政府の姿勢、メディアの報道姿勢、そして「専門家」の研究姿勢が問われるべきである。

（２０２３年10月12日）

第1章　ハマスを擁護する日本のマスコミと〝専門家〟

ハマスのテロを擁護するマスコミ

２０２３年10月7日に、イスラム過激派テロ組織ハマスがイスラエルの民間人を標的にした大規模無差別テロ攻撃を開始しましたが、日本のメディアは発生当初から、偏向報道を乱発しました。

日本経済新聞は、「ハマスとイスラエルの衝突、死者４００人超に　人質も多数」（２０２３年10月8日）と報じました。「ハマスとイスラエル」と双方が対等であるかのような見出しですが、ハマスはイスラム過激派テロ組織でイスラエルは主権国家です。あたかも双方が平等な立場にあるかのように並び立て、対等である印象を与えるこの見出し自体が偏向です。

これでは、突然双方が衝突を始めたかのような印象を与えますが、事実とは異なります。テロ組織ハマスがイスラエルに対する無差別テロ攻撃を開始した。ロケット弾を無差別に撃ち込み始めたのはハマスです。イスラエルはこれを受け、対ハマス軍事作戦を開始した。テロとカウンターテロは、国際法的にも道義的にも全くの別ものです。

さらに、民間人を襲撃して人質を取っているのはハマスだけです。イスラエル軍はパレスチナの民間人の巻き込み被害を避けるため、民間人にあらゆる方法で退避を呼びかけています。イスラエルはパレスチナの民間人を襲撃したり人質に取って拉致したりしていない。

そもそも、イスラエルは国家でありハマスはテロ組織ですから、イスラエルには国土と国民を守る自衛権がある。一方、テロ組織ハマスは自らが支配しているガザの住民を守るつもりなどさらさらない。彼らは、「ガザのパレスチナ人は難民なのだから、彼らを守るのは国連の義務だ」などと平気で嘯《うそぶ》きます。だから、彼らは住民のためのシェルターすら作らない。ハマスが作るのはテロのためのインフラばかりです。

日経新聞はこの記事で、そうした基本的な点をごまかし、ハマスもイスラエルもどっちもどっちだという印象を与える「見出し詐欺」をしている。

毎日新聞は、「イスラエルの強硬姿勢とサウジとの国交正常化交渉　ハマス攻撃の背景」（三木幸治、2023年10月7日）という記事を配信しました。記事にはこうあります。

〈昨年12月に発足したネタニヤフ政権は、パレスチナへの強硬姿勢を示す極右政治家が重要閣僚に就任。

また、米国が仲介しているイスラエルとサウジの国交正常化交渉も、ハマスの決断に影響を与えたとみられる。交渉ではサウジがイスラエルにパレスチナ問題での譲歩を求めている。
イスラエルにより強硬な姿勢を維持しながら、交渉の蚊帳の外に置かれたハマスは、今回の戦闘で存在感を示そうとした可能性がある。〉

イスラエルで極右が閣僚に就任し、イスラエルとサウジアラビアが国交正常化交渉をしているから、蚊帳の外に置かれたハマスが追い詰められて存在感を示そうとしたんだろうと、ハマスの立場に寄り添っているわけです。

毎日新聞は、ハマスがイスラエルに対して無差別テロ攻撃をし、イスラエルの老若男女を殺戮《さつりく》したり誘拐したり残虐行為の限りを働いたことを擁護し、支持し、ハマスは追い詰められてたんだから仕方がないと認めていることになる。

だいたい、「追い詰められた」ことをテロの言い訳にしていること自体が意味不明です。イスラエルとサウジが国交正常化をすれば、中東の敵対関係が減るわけですから、中東和平に近づく。これは世界が歓迎すべき動きです。

ところが、ハマスはこれを拒否する。要するにハマスが「テロ一択」であることを毎日新聞は認め、その上でハマスがキレるのも仕方ないよね、と擁護しているわけです。

毎日新聞は、まるで「テロ支援新聞」です。毎日新聞は、過去の報道においても常にハマスに寄り添い、ハマスのテロを仕方がないと擁護し、イスラエルが悪いと責任転嫁してきました。毎日新聞は、テロリストの元日本赤軍最高幹部・重信房子にも寄り添い、彼女には大義があったと肯定してきました。

しかし、ハマスのやっていることは、それ自体が非人道的戦争犯罪です。非戦闘員の民間人を殺戮したり誘拐したりすることは、それ自体が絶対的な罪です。極右政権云々で正当化されるものではない。悪いものは悪い。テロはテロです。

（２０２３年10月８日）

ハマスのあらゆる行為は正当化される

ＴＢＳの須賀川拓記者は、２０２３年10月のハマスによるイスラエルへの大規模テロ攻撃について、参議院議員の佐藤正久氏の、

〈佐藤もＰＫＯ隊長として、ガザ地区を含みイスラエル各地に赴いたが、やはりパレスチナ地区や西岸地区は緊張した。アイアンドームも視察したが、ロケット弾の飽和攻撃には限界がある。ストリートの一般人無差別虐殺を見ると、イスラエル軍の報復攻撃は相当なものになるだろう〉（@SatoMasahisa　２０２３年10月７日）

というＸ（旧ツイッター）のポストに対して、次のようにポストしました。

〈一体何を持って緊張、と表現されているのでしょうか。イスラエルによる国際法違反が常態化し《ママ》ことで、抑圧している側が勝手に緊張していた状況なのでは。今この瞬間、地域を覆っている緊張とは全くの別物です。〉（@HiroshiSukagawa　２０２３年10月7日）

　とイスラエルが国際法違反をしたのが悪い、と主張。

〈ハマスがやっていることはしっかり報じます。その背景もしっかり報じます。彼らが「武装闘争しかない」と視野狭窄な状況に至った経緯も報じます。双方の戦争犯罪を報じます。その上で、非対称な戦争の現実を伝えます。以上です。〉（同）

　とハマスとイスラエルの「双方の戦争犯罪」だと主張。どっちもどっち論です。そして「非対称な戦争」云々というのは、これは須賀川氏のいつものレトリックで、イスラエルはアイアンドームや戦闘機など最新鋭の武器を持っていて、ハマスは最新鋭の武器を持っていないので、イスラエルの方が圧倒的に強力であり、この戦いは非対称的だ、だからイスラエルが悪い、というものです。

　強者は常に悪人であり、弱者は常に善人である。ゆえにイスラエルは常に悪であり、ハマスは常に善である、というのが彼の持論であり結論です。結論が最初にあるので、事実や途中経過はどうでもいい。イスラエルは悪という結論に使えそうな事実を探してきたりでっちあげたりして誇張する。イスラエルは強者なので常に悪人だとしておきさえすれば、彼のロジックではハマスのあらゆる行為は正当化されます。

不思議なことに、これはハマスの高官の述べた「我々ハマスのあらゆる行為は正当化される」というロジックと全く同じです。要するに須賀川氏は、日本におけるハマス広報官としての役割を果たしている。

さらにこちら。

〈ハマスがイスラエルの戦車をドローンで攻撃。ウクライナで何度も見た映像。戦術そのものも、そして攻撃の映像がすぐに配信されることも現代の戦争。見過ごされがちなのは、この戦車にいたイスラエル兵の被害、そしてこの直後に空爆されたガザの被害。さらに言うならば、この衝突に至った背景も。瞬間的に切りとられた映像に対して脊髄反射的に反応し、深まることなく双方の支持者が罵倒を繰り返す。取り残されていく戦争と関係のない、現場にいる市民。

私は、イスラエル兵を人質にすることは、ある意味ガザの200万人を人質にする意味合いもあると考えます。ただ、長年イスラエル側による抑圧と封鎖を考えると、この問題を綺麗にすっぱり見せる切り口なんてない、ということ。ザラザラと汚く、深い傷もあれば腐った場所もあれば癒えそうな場所もある。擦り傷も有ればアザもある。ウイルスに侵され内部から侵食されている場所もある。

この問題を深く理解しろとは言いません。でも、深く理解しているはずの人が断定的に論じている姿は、見るに耐えません。いい加減にしろ。〉（同）

「長年イスラエル側による抑圧と封鎖を考えると、この問題を綺麗にすっぱり見せる切り口なんてない」という彼の「お気持ち」の吐露です。

彼は、イスラエルはパレスチナを抑圧してきたと言ってハマスを擁護している。「イスラエル兵を人質にすること」を「意味合いもある」と肯定していますが、ハマスは一般人も拉致し、殺している。

彼が、「断定的に論じている。いい加減にしろ」と上から目線で恫喝しているのは、他でもない、私です。しかし、私の主張は、何があろうと民間人の殺戮は正当化されえない、民間人の殺戮は戦争犯罪だ、というその一点です。「民間人の殺戮は戦争犯罪」と断定的に論じなければ、何を断定的に論じればいいのか。

X上では、私をイスラエル寄りだとか、パレスチナのヘイターとか、パレスチナへの偏見を助長しているとか、イスラエルの蛮行を知らない無知な愚か者だとか、私を罵倒するポストが溢れ返っていますが、彼らの主張のプロトタイプが須賀川ポストです。

彼らの主張は、ロシアのウクライナ侵攻を擁護する人々と同じです。ロシアも悪いかもしれない。でも、ロシアを戦争に追い込んだウクライナにだって悪いところがある、と彼らは言う。では、それによって、ウクライナの罪のない子供や民間人の殺戮が正当化されるのか、という問題です。それは何があっても正当化されない、というのが、自由民主主義のルールであるはずだと私は信じている。

ところが、須賀川氏は違います。ネット上には私に対し、イスラエルはこれをやられるだけのことをやってるんだ、おまえはそんなことも知らないのか、勉強しろ、と言ってくる人が大量に湧いている。お前はパレスチナ問題が、そもそもイギリスの三枚舌外交とアメリカのせいだということを知らないのか、勉強しろ、と言ってくる人も大量に湧いている。

何があろうと、どんな背景だろうと、テロリストが民間人を殺すことは正当化されない。その一点を譲ったら、我々は縁《よすが》を失います。

そこで、「でもイスラエルだって……」「でもウクライナだって……」と言い出す人間を、私は批判する。たとえ相手に「いい加減にしろ」と恫喝されても、です。

（2023年10月8日）

「パレスチナ寄り」を宣言するTBS記者

TBSの須賀川拓記者は、これまでも数々のウソをつき、TBSの肩書きを利用して多くの一般人を騙してきました。

たとえば、彼は自分主演・自分監督の映画『戦場記者』（2022年）のメインイメージに、レバノンの事故現場写真を使用しました。事故現場を戦場だと偽ったわけです。私がそれを指摘し、ネットで炎上した後、須賀川氏は偽造を認めました。そもそも、須賀川氏は当時「TBS中東支局長」という肩書きだったのですが、住んでいたのは中東ではなくロンドンでした。報道をする記者がウソの常連なわけですから、そんな報道を信じろという方が無理です。

須賀川氏はウソだけでなく、偏向報道、ポジショントークがあまりにも顕著です。彼のポジショントークをいくつかご紹介しましょう。

「タリバンが悪くない、とは一言も言っていない。ただ、悪者はタリバンだけなのか。アフガンでの様々な悲劇は、この国の歴史や20年ものアメリカ軍による占領が、大きく関わっている」

「（タリバンについて）過激な組織にも普通の人がいる」

「（タリバンへの支援を批判する人は）心が荒んでいる」

「（ハマスのロケット弾がイスラエルによって迎撃されるのは）極めて悲しい現実ですよね」

「私がパレスチナ寄りであることは否定しません。そして、過去に多くの国民を失ったイスラエルが徹底的に危険を排除するのも当然です。戦争に明確な善悪なんてありません。ただ、圧倒的火力で叩き潰すのは…アイアンドームでほぼ全てロケット弾を迎撃し、F15で空爆」

彼はタリバンやハマスというイスラム過激派テロ組織を徹底的に擁護し、正当化する。その立場を隠すことすらしません。自分は「パレスチナ寄り」と堂々と宣言し、実際にはパレスチナではなくハマスを擁護するわけです。

このタリバン大好き、ハマス大好きなＴＢＳの須賀川氏は、２０２３年10月７日に開始されたハマスの大規模テロ攻撃以降も、ウソとデマで大衆の印象操作をしようと躍起になっています。

ガザの病院で発生した爆発について、須賀川氏はＸに次のようにポストしました。

〈ガザの病院が空爆された。死者数は２００から５００とかなりブレているので、確定した数字はまだ不明。恐らく、ハマスによる実効支配の２００７年以降、一回の攻撃で最多の死者数。バイデン訪問の前日。〉（@HiroshiSukagawa　２０２３年10月18日）

ガザの病院爆発は「空爆」であり、死者は少なくとも２００人なのだと断定しているわけです。しかし、この事実を証明する証拠はありません。逆に、これがデマであることを示す証拠はある。ガザの病院は、パレスチナのテロ組織の撃ったロケット弾が途中で失速して落下し、引き起こしたものだという見方が有力です。数々の検証を受け、米「ニューヨーク・タイムズ」紙（ＮＹＴ）をはじめとする世界のメディアが誤報を認めました。ＮＹＴは、ハマスの主張を鵜呑みにしたことを認め、反省しています。

しかし、須賀川氏のこのデマのポストのインプレッションは100万近い。彼がこのポストを残しているのは、このポストが多くの人に見られ続けることによって、「イスラエルは病院を空爆するとんでもないジェノサイド国家だ」という印象を与えるためでしょう。

彼のデマは続きます。

〈そろそろ、ここ15年でパレスチナ人6000人以上死亡した西岸の話を始めましょうか。PAが統治し、ハマスの実権がない西岸で、これだけの死者が出ていることについて。大切なので、もう一度。西岸にはハマスはほとんどいない。それでも6000人以上のパレスチナ人が死んでいます。ハマスの実権がないところで、これだけ死んでいます。ハマスをせん滅する。武装解除する。イスラエルには、国民感情的にも政治的にも、その方向しかないのだと思う。あれだけの被害が出たうえ、まだ200人以上の人質がいる。その安否すら分かっていない。待つ家族にとっては　地獄。

これも大切なのでもう一度。抑圧されてきたハマスには攻撃する理由があった、と話す方。どんな理由があれど、民間人への攻撃は許されません。

当事者ではない日本の皆さまには、もっと広く見てほしい。そう思いながら発信しています。〉(同10月21日)

これもウソです。ここ「15年でパレスチナ人6000人以上死亡」というのは意味がわかりません。人は誰でもいつかは死にます。西岸には300万人以上のパレスチナ人が暮らしているのですから、15年間で6000人しか死んでいないはずがありません。しかし、須賀川氏の意図は違う。彼はここで、パレスチナ人6000人がイスラエルによって不当に殺されたと暗に述べているわけです。そしてこれもデマなのです。そんな事実はない。

Xでも多くのユーザーに「デマですよね」と突っ込まれ、それでも須賀川氏はこのポストを残しておく。それによって、パレスチナ人を虐殺するジェノサイド国家イスラエル、という印象を多くの人に与えるためでしょう。

さらにこちらもウソです。

〈占領と封鎖がなければ、抵抗運動も無くなります。ただ、封鎖が続く理由がハマス自らにもある、と思われる人がイスラエル側にいることも理解できます。でも考えてみてください。宗教的に自殺が禁忌の若者の多くが、スナイパーに殺されるためにガザの境界に石を投げに行くほど追い詰められるのは、なぜなのか。

そこを考えないと、今回ハマス軍事部門を潰しても、その子供たちが第二のハマスになってイスラエルの次の世代と争うことになる。〉(同10月24日)

占領と封鎖がなくなっても、抵抗運動はなくなりません。「ハマス憲章」にあるように、ハマスの目的はイスラエル殲滅です。イスラエルという国家がこの世からなくなるまで、彼らはジハードを続ける。イスラエルに対する攻撃をハマス自身が常にジハードと呼んでいることは、中東では常識であり、「戦場記者」であり「TBS中東支局長」でもあった須賀川氏がこれを知らないならば、驚くべき不見識です。

なによりハマスの指導者や高官が繰り返し「ハマスの目的はイスラエル殲滅。イスラエル殲滅まで何度でも攻撃を繰り返す」と明言しています。

ジハードは、全世界をイスラム法の統治下に組み込むまで続きます。敵を倒し、「イスラムの地」を世界に拡大させる「努力」がジハードです。そこには当然、武力行使も含まれる。ハマスがやっているのはそれです。封鎖がなくなれば、ジハードしやすくなる。封鎖を解除すればハマスのテロが加速する。だからこそイスラエルだけでなく、南部でガザ封鎖をしているエジプトも、封鎖を解除しないのです。

占領？　そもそもガザにはイスラエル軍はいません。イスラエル軍と入植者は2005年にガザの全域から撤退しました。イスラエルによるガザ占領は、20年近く前に終わっているのです。

では、なぜハマスがそもそも終わっている「占領」を終わらせると言っているのかというと、彼らはイスラエルという国家の存在自体を「占領」とみなしているからです。

ハマス共同設立者の一人であるアフマド・ヤシンは、ハマスの目的について「現在のイスラエルを含むパレスチナ全体をイスラエルの占領から解放し、そこにイスラム国家を樹立するため」と明言している。イスラエル殲滅こそがハマスの目的であり、そこにイスラエルとの共存という選択肢はありません。

ハマスだけではありません。ハマスのスポンサーであるイランの目的も、イスラエル殲滅です。これがイランという国の国是です。

さらに言えば、イランもハマスも、イスラエルを殲滅したところで、その先もジハードを続けます。なぜならば、ジハードの目的は、世界をすべてイスラム統治下に置くことだからです。現在イスラエルが存在する土地がイスラム国家に置き換わり、その後もイスラム国家の拡大をめざしてジハードを続けるだけのことです。日本ももちろんジハードの対象です。

彼らにとっては、既存のイスラム諸国もジハードの対象です。

エジプトでは20世紀から、エジプト政府とジハードを続けるイスラム過激派との戦いの歴史が続いています。中でも、エジプトを内部から破壊し治安を脅かしてきたのが、エジプトで20世紀初頭に誕生したムスリム同胞団です。

ハマスは、ムスリム同胞団のガザ支部として設立されました。ハマスが強大化すれば、エジプトを攻撃し、エジプト内部にいるムスリム同胞団員と一緒になってエジプト中でテロを行い、国家転覆を目論むだろうと、エジプト政府は見ている。だから、エジプト政府は「パレスチナ難民受け入れは、エジプトの国家安全保障上のレッドライン」だと表明しているのです。

ハマスや同胞団にとっては、もちろんサウジアラビアやアラブ首長国連邦（UAE）もジハードの対象です。

ハマスは、テロによる国家殲滅や転覆を図りつつ、これは「抵抗運動」なのだと自称する。敵に「抑圧者」「占領者」のレッテルを貼りさえすれば、自分は「抵抗勢力」という正義の味方のポジションを取れる。しかし、「抵抗運動」や「ジハード」の名の下に実際にやっているのは、民間人の大虐殺です。

こんな幼稚なレトリックに世界が騙されている。ハマスは「弱者」ポジションを先取りしているので、「弱者はいつでも必ず善人」ということになっているリベラル世界では、ハマスは「無敵の人」です。何をやっても正当化される。実際に日本でも、須賀川氏のような人たちが、一所懸命、「ハマス正当化活動」に勤んでいます。

ちなみに、須賀川氏は、「でも考えてみてください。宗教的に自殺が禁忌の若者の多くが、スナイパーに殺されるためにガザの境界に石を投げに行くほど追い詰められるのは、なぜなのか」とか言っていますが、彼らにとってこれはジハードです。

ジハードをした結果、死んだとしても、それは自殺ではなく「殉教」です。別に彼らは自殺をしに行っているわけでもなんでもない。ジハードで殉教すれば天国行きが確約される、というのがイスラム教の教義です。

彼らはどんな状況でもジハードする。ジハードが終わるのは、イスラム教が世界征服を実現した時だけです。それを知ってか知らずか、須賀川氏は「自殺するまでに追い詰められているんだ！」とハマスを擁護する。

では、その追い詰められたハマスがやったことはなんなのか。ハマスに虐殺された女性たちは、生きたまま焼き殺されたり、手足を切断されたりし、女の子も高齢女性も、骨が折れるほど強姦されて殺されていた。須賀川氏は、これを「追い詰められた」といって正当化しているわけです。

単に騙されているのか、確信犯的にハマスを応援しハマスの力で既存秩序を破壊したいと思っているのか、「弱者パレスチナのために命をかけて戦うハマス」に寄り添うことで「社会正義マン」を気取る自分に酔っているのか。いずれにせよ、ＴＢＳがとにかく全社を挙げて応援し推している須賀川拓という記者がウソつきであり、デマで大衆を煽動しようとしているという事実については、今も、そして今後も、私は問題として提示し続けるつもりです。

（２０２３年10月25日）

「専門家」の「絶望したらテロしても仕方ない」理論

中東で問題が起こると、よくメディアに登場し、解説をする「専門家」の一人に、放送大学名誉教授の高橋和夫という人物がいます。

高橋氏は、BS-TBS『報道1930』の「イスラエル『戦争状態』&ウクライナ侵攻2つの〝戦争〟がもたらす結果は…」(2023年10月9日放送)に登場し、ハマスの攻撃の理由として「イスラエルの慢心ですね」とイスラエルを批判しました。

イスラエルは大リーグで、ハマスはリトルリーグで、これだけ力の差があるから、イスラエルはハマスが攻めてくるはずはないと侮っていた、だから攻撃されたんだ、と解説します。〈イスラエルとハマスを比べると、大リーグとリトルリーグくらい違うわけですよ。あんなバカなことするわけないと思ってたんだと思うんですね。〉

「思ってたと思う」と述べているように、要するにこれは、高橋氏の妄想です。

この、大リーグとリトルリーグというのは、高橋氏が「力の差」「非均衡性」「非対称性」を強調する時に頻繁に使う例えです。彼は、2021年5月にイスラエルとハマスの衝突があった時にも、『教えて! ニュースライブ 正義のミカタ』(朝日放送、2021年5月22日)という番組の中で、「イスラエルとハマスが戦争してるって言うと、同等にやってるような感じですけど、全然そんなことなくて、阪神タイガースとリトルリーグみたいなもんで、ハマスなんかほんとにもう……」と言っていました。この時は、イスラエルは阪神タイガースでしたが、今では大リーグになったようです。テロ組織を野球チームに例えている時点で不適切かつ異様だと、私は以前から批判しています。リトルリーグはハマスのようにテロをしたりしない。殺戮はしない。

さらに、ここにはウソがある。というか高橋氏の主張はウソまみれのデタラメです。イスラエルは、「リトルリーグのハマスが攻めてくるわけない」と慢心したことなどありません。2023年10月の大規模テロ攻撃に関しては、祝日で通常より警備が緩んでいたのは事実です。しかし、それは「慢心」とは違う。

三方をテロ組織とテロ国家に囲まれたイスラエルにとって、国防は国の第一の優先事項であり、その中でもハマス対策はイラン対策と共に最優先事項です。そのためにイスラエルはすべての建物に民間人のためのシェルターを作り、国防軍を強化し、国民を徴兵し、武器の開発をし、常に備えている。「イスラエルの慢心」などという現実は存在しない。

にもかかわらず、高橋氏は「イスラエルは慢心していた」と述べ、ハマスを下に見ていたイスラエルが悪いと主張するわけです。

番組出演者たちは、終始、悪いのはイスラエルで、イスラエルにあれほどひどいことをされ続けてきたのだから、ハマスがテロをするまでに追い詰められたのは仕方がない、ハマスの絶望がテロの原因なんだと、主張し続けます。

高橋氏も、司会の元TBSの松原耕二という人物も、途中で出てくる国際情報誌『フォーサイト』元編集長の堤伸輔という「ニュース解説者」も、三人が三人とも、「絶望したから仕方がない」と言ってハマスに寄り添う光景は異様そのものです。

司会役の元TBS松原氏が「なんでハマスはこんな攻撃をしたのか?」と聞くと、高橋氏は次のように答えます。

〈やはり絶望感ですよね。自分たちはもう囲まれてて飲む水も安全ではない、全く希望がないわけですよ。だからガザの人たちの貧困率は5割、失業率は5割、生きててどうすんだ、どうせいつかイスラエルに捕まって殺されるかもしれない、だったら命を張ってやろうじゃないかという人がたくさんいても不思議はないですよね。〉

要するに、絶望したらテロしていい、ということになっている。飲み水が安全でなければテロしていいということになっている。貧乏だったら、仕事がなかったら、テロしても仕方がないということになっている。

これはもう、めちゃくちゃな理論です。あなたも私も、絶望したらテロリスト。それでもOK。なぜなら絶望したんだから仕方がない。こんな論理がまかり通るなら、日本の秩序も世界秩序も大崩壊です。

高橋氏は自著やテレビ出演で、ハマスだけでなく中国やイランも絶賛したり擁護したりし、他方で日本や米国批判にも勤しんでいる。ハマス擁護論は中国を利する反日、反米論でもあるのです。

大前提として、高橋氏の主張は事実ベースで間違っている。

まず、「囲まれてて飲む水も安全ではない」と言っていますが、囲まれていようといまいと、蛇口をひねったら安全に飲める水が出てくるのなんて、世界でも日本と他数か国くらいです。世界のあらゆる国では、蛇口をひねれば安全な飲み水が出てくるのに、ガザは包囲されているから安全な飲み水が出てこない、だから絶望してテロしたとか、全く意味不明です。

ガザ地区に隣接するエジプトに私は4年住んでいましたが、水道水は基本的に飲みません。飲料水として安全ではないからです。高橋氏は、日本人が世界について何も知らないということを前提に、ウソを吹き込んでいるわけです。

「囲まれてて飲む水も安全ではない、全く希望がない」も意味不明です。ならば、水道水を飲めない国、要するに世界のほとんどの国の人は、ああ、水道水が安全に飲めない、ああ全く希望が持てない、だからテロしよう！　ということになる。いちいち指摘するのもバカバカしくなるような妄言です。

しかも、ガザ地区に関しては、国際社会が多額の支援金を出して整備した水道管を、ハマスが掘り出してロケット弾に改造しているという実態が明らかになっている。安全な水がないのは明らかにハマスのせいです。

それを高橋氏は、「安全な水がないからハマスは決起した」と説明している。ハマスのあらゆる「やらかし」をこうして擁護、正当化してくれる高橋和夫氏のような熱烈なハマス応援団に、ハマスのテロは支えられているわけです。

「ガザの人たちの貧困率は5割、失業率は5割、生きててどうすんだ、どうせいつかイスラエルに捕まって殺されるかもしれない、だったら命を張ってやろうじゃないかという人がたくさんいても不思議はないですよね」も意味不明です。

貧しくて失業している人は絶望してテロしても仕方がないなどという論理は、世界中の貧乏人と失業者をあまりにも侮辱しています。これは「貧困」をテロの原因にあげる人々の共通点で、あの人は貧乏だったから、差別されていたからテロしても仕方がないと是認する、正当化する。テロリストの立場に寄り添って、仕方がないんだと容認していくわけです。

そんなわけがない。貧しくて失業していても、ほとんどの人はテロなんかしない。貧乏人、失業者をテロリスト予備軍のようにまことしやかに語る言説は許されないはずです。

しかも、彼は貧しくて失業していたら、「生きててどうすんだ」と、生きる意味がないと言っている。これもとんでもない差別発言です。貧しい人はみんなやけっぱちだ、失業者はみんなやけっぱちだと、何をしでかすかわからない人々だと決めつけている。

また、「どうせいつかイスラエルに捕まって殺されるかもしれない」とありますが、これもウソです。ガザには、イスラエルの警察も軍隊も存在しません。ガザの人が「いつかイスラエルに捕まって殺されるかもしれない」などということは、物理的にありえないのです。

高橋氏は、こういうウソを重ねつつ、イスラエルがいかにひどい国か、いかにパレスチナ人がかわいそうで絶望しているかをひたすら強調する。

そして、その場にいる松原氏や堤氏は、パレスチナを知らないので、高橋氏の主張に、「え、それウソですよね？　だってガザにイスラエルの警察も軍隊もいませんよね？」と突っ込んだりはしない。皆が神妙な顔をして高橋氏のウソにそうだ、そうだとうなずき、ウソをベースに番組が進行する。これが「報道」だというのですから、実に異様です。

これに元ＴＢＳ松原氏が、こう続けます。

〈オスロ合意ですか。あの時は二国共存という方向をアメリカが仲介した。ただ、それも結局イスラエルがですね結局ね、入植していろんなとこじわじわと入っていってパレスチナ人たちはもうどんどん追い詰められていったわけですね。そこでハマスの人たちももう追い詰められて、この中にずっと閉じ込められているると。

そんな中でパレスチナ人たちを、ある種もう自分たちのこと忘れたんですかと言わんばかかりにですね、サウジアラビアやこういう国がイスラエルと、こう一緒になろうとしてるように見える。そうすると自分たちはもう見捨てられるんじゃないかと、こういう思いという指摘もあります。ここはいかがですか。〉

ガザのこともハマスのことも、全然知らないまま妄想で言っているので、自分でも何を言っているのかよくわからないのでしょう。「パレスチナ人たちはもうどんどん追い詰められていったわけですね。そこでハマスの人たちももう追い詰められて、この中にずっと閉じ込められている」という「迷言」を吐きます。

ガザの人のうち約1万8000人がイスラエルでの労働許可書を持っていて、イスラエルに働きに行っています。通学や病院への通院のためにイスラエルと往来する人も多い。ガザの人々は、南側の国境を接するエジプトともさかんに行き来しています。物資の行き来もありますから、ガザ市内に物資はふんだんにある。

加えて、ハマスの指導者トップ3は全員カタールに住んでおり、総資産額は1100億ドル（約1兆6600億円）とされています。彼らは2023年10月のテロも、カタールでテレビで鑑賞し、その「成功」を神に感謝し祈りを捧げていました。ハマスの幹部は、トルコにもたくさん住んでいます。彼らがトルコでタワーマンションなどに住み、贅沢三昧の生活をしていることはよく知られています。

つまり、高橋氏も松原氏も事実を無視し、「かわいそうな弱者パレスチナ」「残虐な強者イスラエル」を妄想によってでっちあげ、それによってハマスのテロを「仕方ない」と容認するという、そういう番組構成になっているわけです。

高橋氏はさらに、次のように続けます。

〈聖地エルサレムのモスクにイスラエル軍が土足で入ってくるというようなことがあって、ですからもうハマスとしてはやはり今立たざるをえないと、まあそういう意識だったと思うんですよね。〉

なるほど、「立たざるをえない」という意識になって、そして立って、イスラエルの住宅地にロケット弾で無差別テロ攻撃をし、音楽フェスに来ていた女性たちを次から次にレイプして殺して遺体に唾を吐きかけ、イスラエル人の民家を一軒一軒襲撃して家族もろとも皆殺しにし、キブツ（集団農場）を襲撃して子供たちを焼き殺したり、斬首したりしたわけですね。

高橋氏はハマスの残虐行為には触れず、ハマスの論理を繰り返し繰り返し主張することで、要するにイスラエルはやられても致し方ないんだと言っている。

高橋氏はさらに続けます。

〈ヨルダン川西岸地区では、パレスチナ人の家は破壊されるとか取られる。勝手に逮捕される。夜間にイスラエル兵が入ってきて若いのも連れていくという。まあ、女性は殴られる、子供も逮捕されるというような状況で。人権状況は本当に悪いんですよね。アムネスティ・インターナショナルから世界の人権団体があんまりじゃないかというくらいの状況。

その、やっぱり現地の怒りというのがハマスの攻勢につながったというのが、まず第一的な要因だと思いますね。〉

パレスチナ人の家がいきなり破壊される、という事実はありません。高橋氏は、イスラエル当局がイスラエル人を殺傷したテロリストの家を懲罰として破壊する行為をウソで包み、イスラエルの蛮行として提示している。

イスラエル兵がパレスチナ人を連れていくというのも、テロの容疑者の場合です。イスラエル兵がいきなり何の容疑もないパレスチナ人女性を殴ったり、子供を逮捕するという事実もありません。パレスチナ人女性やパレスチナ人の子供がナイフや銃を持って迫ってきたら、それは逮捕します。実際、パレスチナ人の中にはテロをする女性も子供もいるからです。

高橋氏は、あたかも全く罪のない弱くて無辜《むこ》なパレスチナ人を、イスラエル兵が蹂躙しているようなことを言っている。これは完全に、悪意ある印象操作です。高橋氏の主張は、テロリストの言い分です。彼は、ハマスの代わりにハマスのテロの言い訳をしているわけです。

ウソで盛ってイスラエルを悪者にすることで、ハマスに同情させ、そうだね、それだけやられたら、やり返したくなるよね、やり返す気持ちもわかるよ、と思わせるように、ひたすら印象操作していく。極めて悪質です。「弱者に寄り添ういい人」「弱者の苦しみに寄り添ういい人」のふりをして、テロを容認し、正当化する、テロリストの代弁者です。

そもそも、ハマスはパレスチナ人を代表してなどいません。２００７年にガザを武力で制圧し、それ以来、ガザを実効支配しているイスラム過激派テロ組織です。ハマスは、パレスチナ人を支配し、搾取し、それで贅沢三昧の暮らしをしている。ハマスの指導者であるハニーヤやマシュアルが、カタールでセレブ生活をしているのが、その証拠です。ハマス幹部や関係者は、ガザでもプール付きの豪邸に住み、豊かな暮らしを送っています。しかし、高橋氏やメディアは、ガザはイスラエルに包囲され抑圧されているのだと言う。

実際には、ガザでパレスチナ人を抑圧しているのはハマスです。だから、ガザにはものすごい格差がある。金持ちはハマスです。ハマスの関係者は贅沢な暮らしができる。それ以外のガザの「ふつうの」人々にはもちろん、自由もありません。ハマスに逆らったら「イスラエルのスパイだ！」とレッテルを貼られて拘束され、下手したら殺されます。

ガザの人々は、ハマスによって「人間の盾」として利用されてもいます。そのために、ハマスは自分たちの軍事拠点を学校や病院や住宅地に置く。市民を盾にして自分たちを防御し、そして、イスラエルの報復攻撃で市民が巻き添えになると、「イスラエルは残虐だ！」とやるわけです。ハマスはイスラエルにとって悪なだけでなく、パレスチナ人にとっても悪なのです。

英BBCは、家族を殺されたガザの女性が「全部ハマスの犬どものせいだ！」と叫び、背後にいた男が彼女の口をふさぐという映像を放送しました。ガザの真実をBBCのようなリベラルなメディアも隠しきれなくなっています。

本当にパレスチナ人のことを思うならば、ハマスを排除しなければならないはずです。しかし、彼らはパレスチナに寄り添うと言って実際にはハマスを擁護する。なぜなら、ハマスを擁護することが、イランや中国、ロシア、北朝鮮という反米、反日国家を利することになるからです。彼らはパレスチナを利用し、世界を、日本を転覆させようとする活動家です。

高橋氏は、わざとパレスチナとハマスを同一視し、ハマスがあたかもかわいそうなパレスチナを代表する清貧の戦士のように印象付けていますが、そんなものは存在しません。

ハマスは解放の戦士などでは全くない。残虐で強欲なテロリストです。

（2023年10月11日）

「イスラエルは国際法違反の虐殺国家」という世論形成のウソ

2023年10月7日に起きた、ハマスによるイスラエルに対するテロ攻撃について、日本共産党の山添拓議員がXに次のような投稿をしました。

〈ハマスによる無差別攻撃と民間人連行はいかなる理由であれ許されない。これに対するイスラエルによる無差別攻撃も正当化できない。問題の根源はこの間のイスラエルによる国際法違反の入植、パレスチナ人への迫害、侵攻と占領にある。国連決議を踏まえた原則的な対応こそ必要。〉（@pioneertaku84　２０２３年10月10日）

諸悪の根源はイスラエルの国際法違反、ハマスも無差別攻撃したかもしれないがイスラエルも無差別攻撃した、だからどっちもどっちだし、そもそも悪いのはイスラエル、だからイスラエルが悪い、という、いつものお馴染みの言説です。

ハマスがイスラエルの民間人標的に無差別テロ攻撃をやるたびに、同じロジックが展開され、結局、やっぱりイスラエルが悪いということになって終了する。

彼らが論《あげつら》うイスラエルの国際法違反は、占領だけにとどまりません。日本共産党だけでなく、国連も、EUも、メディアも、そして日本の「国際政治学者」のみなさんも、みんなで口を揃えてガザの完全包囲も国際法違反だし、ガザ攻撃も国際法違反だとイスラエルを非難します。

〈国連人権高等弁務官事務所のボルカー・ターク高等弁務官は10日、イスラエルが宣言したパレスチナ自治区ガザ地区の「完全包囲」について、市民から生活必需品を奪うもので、国

際法上「禁止」されていると警告した。〉（AFPBB News @afpbbcom　2023年10月10日）
〈欧州連合（EU）の外相にあたるボレル外交安全保障上級代表は10日、イスラエルにはイスラム組織ハマスの攻撃から自国を守る権利はあるが、自衛権の行使は国際法に従わなければならないと述べた。〉（CNNウェブサイト　2023年10月11日）
〈基本的に戦場で民間人を攻撃すれば、国際法違反になる。イスラエルとしては事前に勧告したのに戦場に残っているのは、民間人ではなく戦闘員だろうとの理屈で、民間人の巻き添えもやむなしと考えて〉（保坂展人 @hosakanobuto　2023年10月14日）
〈1948年の戦争で逃げたら二度と家に帰してもらえなかった人たちの子孫が多数を占めるガザの住民のことを「逃げればいいのに」「エジプトはなぜ入れてやらないのか」と言うのは、最低限の知識か人の心のどちらかがないのでは。逃げたら二度と家に帰れないと信じるだけの根拠はあるでしょう。〉（池内恵 @chutoislam　2023年10月14日）
〈世界の左右を問わず、識者が、イスラエルが軽率に大規模侵攻を開始することが、戦略的にハマスの「罠」にはまるという警鐘を鳴らすのを見て、あらためて渦中にいる時の熱狂の強さと、冷静な外部からの声の無力さを感じます。世界で、強硬論がしばしば慎重論を制圧する最近の動向。政治が難しい時代。〉（細谷雄一 @Yuichi_Hosoya　2023年10月14日）
〈「自衛権行使の支持」は何をやってもよいとの白紙委任ではなく、本来「必要性・均衡性を満たし国際人道法に沿った自衛権の行使を支持する」との意味で、「その枠を超えるな」というメッセージでもあったはず。ただ、それだけで伝えたつもりになるのは現実世界では無意味で無責任・・・。〉（鶴岡路人@MichitoTsuruoka　2023年10月13日）

〈若干補足すると、伝わっていなかったのが案の定自明なので米欧諸国は「国際法を守れ」というメッセージをイスラエルに改めて送っている構図。他方、欧州にはイの行動を変えられる国があるとすれば米国のみとの無力感。だとすれば「国際法を守れ」は単なる慰めに。それでも言い続けるほかない。〉（同）

これらのロジック、この主張、この批判は本当に正当でしょうか。

◎ハマスというテロ組織がイスラエル人1200人をテロで虐殺した。

◎イスラエルという主権国家がハマスのアジトを叩き潰そうとしたら、ハマスがアジトで大量の民間人を「人間の盾」にしている。

◎イスラエルはガザの民間人を巻き添えにしたくないので、ガザ川（涸れ川）の南まで退避するよう、SNSやショートメッセージ、チラシなどによって呼びかけた。

◎ところが、ハマスはそれを拒否し、検問所を設置してガザ住民が退避するのを妨げている。イスラエルの罠にはまるな、行ったら殺されるぞと脅している。

◎ それでもイスラエルは、新たに安全回廊を作って、そこは攻撃しないと約束した。

これが現状です。国連やEUや国際政治学者のみなさんの言うとおりにするならば、ハマスが「人間の盾」作戦をとっている限り、イスラエルはハマスのアジトを絶対に攻撃してはいけない、ということになります。ならば、「人間の盾」作戦をとった者勝ちということになる。国際法や正義を振りかざす人々がこぞってハマスの「人間の盾」作戦を是認するというのは、深刻なパラドックスです。

ハマスのアジトを叩き潰さない限り、ハマスの軍事力は温存されるわけですから、また近いうちにハマスはイスラエルに無差別テロを仕掛け、イスラエル人の命を惨《むご》たらしく奪うでしょう。

ハマス高官はこう言っています。「我々はイスラエル殲滅まで、何度でも10月7日を繰り返す」、つまり、民間人を標的にした無差別テロをやり続けると、はっきり宣言しているのです。それでも国際法に従い、ガザ住民を絶対に巻き添えにしてはならないとしたら、イスラエルはすごすごと引き上げなければならない、ということになります。こうすれば国際政治学者のみなさんは、満足するのでしょう。

しかし、そもそもガザ住民を巻き添えにしているのはハマスです。ガザ住民の退避の邪魔をしているのはハマスです。ガザ住民にシェルターを与えず、その代わりに武器を作り、イスラエルにテロをし、ガザに攻撃せざるを得ないようイスラエルを挑発しているのは、ハマスです。

イスラエルのガザ攻撃を回避する手段はあるのです。ハマスがイスラエル人の人質を解放し、武装解除すれば、イスラエルはガザを攻撃する必要など一切ないのです。しかし、ハマスはそれをしない。ガザ住民の命を最も軽視し、それを利用しているのはハマスです。ガザ住民を死に至らしめて平気な顔をしているのはハマスです。平和を拒否し、イスラエル人を残虐に殺し、ガザ人をもまた殺しているのはハマスなのです。

イスラエルがこれから地上作戦を展開するという段階に至って、インターネット上でもメディア上でも、急速に「イスラエルは国際法違反のジェノサイド国家」というイメージが形成されています。

彼らは、「ハマスがやったことも悪いかもしれないけど」と言いつつ、「でもイスラエルって国家のくせに、国際法違反して、これってロシアと同じだよね」とイスラエルを酷評する。国際政治学者は、「あのイスラエルっていう国は、言うこと聞かない横暴な国だから、僕らがいくら国際法守れって言っても聞かないんだよね、ほんと困るよね、僕たちって無力だよね……」とかポエムを吐く始末。

東京大学教授の池内恵氏に至っては、「イスラエルが軍事力でガザのハマースの意志を挫くことは容易ではなく、（略）交渉によって解決する以外に方法はない」（新潮社ニュースサイト「フォーサイト」、2023年10月8日）と述べている。1200人以上を惨殺し、200人以上を拉致し、今後も無差別テロを続けると宣言しているハマスと交渉しろ、軍事力は無駄だと、日本の「専門家」がイスラエルに対して大上段から訓示する様は、滑稽ですらあります。

イスラエルのガザ侵攻の目的は明白です。イスラエル国防軍は何度も繰り返し「目的はハマスの軍事能力を削ぐことだ。ガザの民間人は我々の標的ではない」とはっきり言っています。これは正しく自衛権の行使であり、国際法違反ではない。誰にも非難されるような行為ではないはずです。

イスラエルは全力で、ガザのパレスチナ人を巻き添えにしないよう手を尽くしている。しかし、それでもガザ住民が巻き添えになったとしたら、咎《とが》められるべきは、ガザ住民の退避の邪魔をし、「人間の盾」として使ったハマスであるはずです。

イスラエルの作戦は対テロ作戦であり、自衛権の行使です。正規の戦争です。イスラエルはルールを守っている。民間人の犠牲が出ないよう、彼らは努力している。彼らがガザ住民に繰り返し退避通告していることは、誰でも確認できます。

退避は無理だと決めつけている人も多くいます。ＴＢＳの須賀川記者も退避は無理だと決めつけていました。しかし、確認されているだけで、すでに60万人は退避している。イスラエルはガザ川の南側まで逃げてほしいと言っている。ガザ市内からガザ川までは、そう遠くはありません。退避しようと思えばできる。だからすでに60万人が退避しているのです。

にもかかわらず、メディアや国際政治学者のみなさんは、イスラエルはできないことをできるかのように言って、アリバイ作りをしている云々と主張し、それでまたイスラエルを非難する。

山添拓議員の言うような、ハマスと同様にイスラエルが無差別攻撃をしているという事実はありません。こういう人たちはデタラメなウソをちりばめ、国際法を絶対遵守すべしという「正しい人」のポジションを取って、そこからイスラエルを非難します。オレたち合法、お前たち違法。オレたち正義、お前たち悪。こうやって二分して、自分を道徳的高みに置き、賢者であるかのように振る舞う。

そして、なぜかこのプロセスを経て、そもそもイスラエルに対して無差別テロ攻撃をしたハマスの罪は、だんだんと矮小化される。イスラエルがガザ住民を大量虐殺する罪と比べれば、ハマスの罪なんて大したことないよね、と相対化され、是認される。

しかも、ハマスはテロ組織であって国家ではないので、そもそも国際法の「適用外」として見逃される。ハマスはいくら民間人を大量殺戮しようと国際政治学者から「国際法違反」だと後ろ指を刺されることのない、まさに「無敵の人」です。

こうした評価が本当に国際法的に妥当なのか。これが正義としてまかり通っていいのか。

オレたち無力で、ジェノサイド国家イスラエルの暴走を止められないんだよね……、とため息まじりにXでポストをしている国際政治学者たちに対し、私は強い憤りを覚えます。

（２０２３年10月14日）

「イスラエルは常軌を逸した虐殺国家」と煽動する朝日新聞

朝日新聞は、「『常軌逸している』『患者への死刑宣告』　ガザ退避要求に怒りと批判」（武石英史郎、２０２３年10月14日）という記事を出しました。冒頭にはこうあります。

〈イスラエルが13日、パレスチナ自治区ガザ地区北部の住民に24時間以内の退避を求めたことに対し、援助団体や国際機関から怒りと批判の声が相次いでいる。退避期限はその後、修正されたが、対象地域には１１０万人が暮らし、地区内で最大の都市や最大の難民キャンプ、負傷者であふれかえる病院もある。住民全員の避難は不可能な状況だ。〉

つまり、ガザ住民の退避は不可能だ、と決めているわけです。不可能なことを命じているイスラエルは、これはガザ住民を虐殺する気だ、と誘導、印象操作しているわけです。

朝日新聞は、「地上戦は一方的展開に、退避勧告は民間人巻き添えの『アリバイ』か」（2023年10月14日）という記事も出しています。小谷賢・日本大学危機管理学部教授（国際政治学）という人が、こう「解説」しています。

〈実際に24時間以内に100万人以上も退避させることは難しい。民間人が巻き込まれたとしても、事前に退避勧告という形で警告はしたというアリバイ作りだとみられる。〉

退避勧告はイスラエルにとって単なるアリバイ作りで、退避なんて不可能なのだ、ということです。アリバイを作って、イスラエルはガザ住民を大虐殺するつもりだ、という印象操作です。

朝日新聞は「ガザ住民『みんなパニック』　24時間内の退避要求は侵攻の始まりか」（武石英史郎、高久潤、2023年10月14日）という記事も出しています。

とにかくこうした記事はすべて、イスラエルがガザ住民に退避要請しているのは〝無理ゲー〟であり、住民はパニックに陥っていて、退避など到底無理であり、どうせイスラエルはアリバイ作りをした後、ガザ住民を虐殺するのだ、ああなんてひどいジェノサイド国家なんだ、という論調に終始しています。

そして、上記の小谷氏を含む日本の「国際政治学者」のみなさんも同じ論調で、みんな揃って「イスラエルってどうしても国際法が守れない、ならずもの国家なんだよね」と呆れたり、ため息をついたりしている。意味がわかりません。この論調はウソとデマだらけです。

第一に、イスラエル軍のガザ住民への退避要請は、全く不可能ではありません。実際にガザ住民の南部への退避は進みました。不可能ではありませんでした。退避の期限も延長しました。

イスラエルは、「我々の敵はガザ住民ではない。敵はハマスだ。ガザ住民は作戦の巻き添えにならないよう、ガザ川の南までとにかく退避してほしい。安全回廊を2つ用意した。その道を通って、どうにかガザ川の南まで逃げて」と繰り返し呼びかけました。ガザにビラをまいたり、ガザ住民の携帯に直接ショートメッセージを送ったり、SNSを使ったり、とにかくあらゆる手を尽くして呼びかけを続けています。

イスラエルは住民大虐殺の国際法違反のジェノサイド国家だ、と主張する人たちは、イスラエル軍の目的や、どれだけガザ住民に被害が出ないように腐心しているかについて、全く言及しません。

無知なのか、頭が弱いのか、それほどイスラエル、そしてユダヤ人が嫌いなのか。この、「なんか知らないけどユダヤ人は悪い奴なんだ」という、そういう偏見を反ユダヤ主義と言うのです。歴史上何度も、こういう「なんか知らないけどユダヤ人は悪い奴なんだ」という思い込みが、ユダヤ人大虐殺を引き起こし、ホロコーストを引き起こしてきた。

にもかかわらず、人権や道徳を笠に着たメディアやアカデミアの人間が、こうして今も、よくわからないままに、「なんか知らないけどイスラエルは悪い国だ」論をまことしやかに吹聴している。これは本当に由々しきことなのです。

第二に、ハマスは退避しようとするガザ住民の邪魔をし、それどころか、爆弾で攻撃しました。朝日新聞の記事にもこうあります。

〈一方、ハマスは13日、SNS上に声明を出し、「（イスラエルの警告は）偽りの宣伝で、心理戦だ。市民に対して、無視するよう呼びかける」と主張した。〉

朝日新聞は、ハマスの言っていることが正しいかのように印象操作していますが、退避に応じなければ作戦の巻き添えになります。要するにハマスは、ガザ住民を「人間の盾」にするために、退避しないよう邪魔をしたのです。

これを、あたかも「ガザ住民に退避しないよう正しいアドバイスをする、冷静で住民思いなハマス」みたいに報じたのが朝日新聞です。

また、ハマスはイスラエルが指定した安全回廊となっている道路に大型車両を置いて封鎖し、退避者を乗せた車が通れないようにしました。ハマスは、住民の退避を阻止し、ガザ北部に閉じ込め、「人間の盾」にしようとしているからです。退避しようとする奴は裏切り者だ！　裏切り者を許すな！　と退避者の殺害を呼びかける人まで現れました。

また、ハマス支持者らは、道路が爆破される映像を「イスラエルはガザ住民に南部に退避しろと言っておいて、そこに空爆している！」と批判して広めていました。しかし、これは明らかに空爆ではありませんでした。こんな場所をイスラエルはそもそも空爆していません。これは路肩爆弾です。この時、イスラエル軍はまだガザに侵攻しておらず、イスラエル軍は路肩爆弾を置けるわけがありません。こんな場所に路肩爆弾を置けるのはハマスだけです。つまり、ハマスが退避する住民を殺そうとしていたわけです。ハマスは、住民が逃げたら「人間の盾」として利用できないから困るのです。だから、全力で退避の邪魔をしました。

これについて、日本のメディアや「国際政治学者」たちは、知らないのか無視しているのかはわかりませんが、とにかく、イスラエルは退避などという無理難題を押し付け、アリバイを作って、ガザ住民を大虐殺するつもりなんだと吹聴しました。とんでもない偏向報道、偏向解説です。

（2023年10月15日）

中東紛争が拡大するかのように恐怖を煽る日経新聞

イスラム過激派テロ組織ハマスがイスラエルの民間人を標的に大規模テロ攻撃を開始した10月7日以降、イスラエル軍のガザ侵攻が目前に迫るとされる中、この紛争が地域、あるいは世界に拡大する懸念が生じてきています。

拡大というのは二つの意味があります。

一つは、ハマスの呼びかけに呼応して、世界中のイスラム教徒が自ら「決起」し、デモをしたり、より直接的に「敵」を攻撃したりする動きです。要するに「個人の呼応」です。

もう一つは、国家の介入です。これに関しては、イランがすでに、介入の可能性を示唆しています。

日経新聞の「米高官『中東紛争拡大のおそれ』　イランやヒズボラの関与警戒」（坂口幸裕、2023年10月16日）という記事の冒頭には次のようにあります。

〈米ホワイトハウスのサリバン大統領補佐官（国家安全保障担当）は15日、イスラム組織ハマスとイスラエルの衝突を受け「（地域で紛争が）エスカレートするリスクが高まっている」と表明した。米CBSテレビのインタビューで「イランが直接関与を選択する可能性を排除できない」と述べた。〉

イランのアブドラヒアン外相はガザ攻撃が続けばイランが介入する可能性があるとイスラエルに警告した、と米メディアのアクシオスが報じています。

ハマスと同じく、イランの「代理組織」であるレバノンのイスラム過激派テロ組織ヒズボラは、すでにイスラエルに対して散発的に攻撃をしてきている。

アメリカが原子力空母ジェラルド・フォードを中心とする打撃群を東地中海に派遣し、さらに空母ドワイト・アイゼンハワーも送ったのは、イランやヒズボラの介入を抑止・牽制する目的もあります。

アメリカとしては、中東紛争をとにかく拡大させてはならない、という意思を持っている。アメリカは兵士を直接イスラエルに投入するのではなく、紛争拡大抑止と、イスラエル軍に対する物的支援、そしてもちろん精神的支援、さらにガザの民間人の安全確保やガザにいる外国人の退避など、さまざまな問題を解決すべく、イスラエルと協力して臨んでいます。

もう一つ、日本のメディアではこの「紛争拡大」について、イランだけではなく、アラブ諸国も介入するかのようなニュアンスの報道が増えています。

たとえば日経新聞の「エジプト大統領、ハマス攻撃は『40年蓄積された怒り』」（坂口幸裕、2023年10月16日）の冒頭にはこうあります。

〈中東歴訪中のブリンケン米国務長官は15日、エジプトの首都カイロでシシ大統領と会談した。米国務省によると、シシ氏はイスラム組織ハマスによるイスラエル攻撃について「解決策を見いだす希望を持てなかった40年間に蓄積された怒りと憎悪の結果だ」と述べ、ハマスの行動に理解を示した。〉

これではあたかも、シシ氏がハマス擁護を展開しているかのようです。しかしこの記事はミスリードです。シシ氏はハマスを擁護しているわけではありません。私は他のメディア報道や映像もチェックしましたが、シシ氏がハマスを擁護する発言は確認できませんでした。

日経新聞の「ハマスの行動に理解を示した」という報道は、ほとんど捏造《ねつぞう》、フェイクニュースだと言っていい。ほら、となりのエジプトだってハマス支持じゃないか！　と、事情を知らない人は思うでしょう。

しかし、シシ氏が支持しているのはハマスというイスラム過激派テロ組織やそのテロ攻撃ではない。「パレスチナの大義」です。エジプトやその他アラブ諸国が懸念しているのは、ハマス掃討作戦がガザ住民に大きな被害をもたらすことです。

AP通信の記事には、エジプト国営メディアによると、シシ氏はブリンケン米国務長官に対し、イスラエルのガザ作戦は「自衛の権利」を超えており、「集団的懲罰」になっていると批判している、とあります。とにかくガザ住民の犠牲を最小限にするよう努力しろという、そういう主旨です。別にシシ氏はハマスを支持しているわけでも、イスラエルの自衛権行使を否定しているわけでもありません。

AP通信の記事にはこうもあります。

〈米政府関係者によれば、ブリンケンのメッセージに対するアラブ諸国の反応はおおむね肯定的で、イスラエルにはハマスの攻撃に対応する権利があることを認めつつも、ガザの人道的状況には深い懸念を表明し、その結果生じるパレスチナ市民の犠牲については黙っていられないとしている。アラブの指導者たちはまた、パレスチナ人に独立国家を与えるイスラエルとパレスチナの和平協定なしには、現在の状況は解決できないと述べている。〉

つまり、アラブ諸国は、イスラエルの基本姿勢とアメリカの方針に、基本的に賛成しているのです。彼らがこだわっているのは、作戦の際にパレスチナ住民を巻き込まないこと、そして「パレスチナの大義」、すなわち、将来的なパレスチナ国家建設です。彼らは、この紛争に軍事介入するつもりなど全くない。

エジプトのシシ大統領との会談について、米ブリンケン国務長官は、「非常に良い会談」だったと述べ、「我々は、エジプトはガザの人々のために多くの物質的な支援を実施しており、ラファは再開される予定だ」と言っています。

もう一点、エジプトやその他アラブ諸国は、イスラエル紛争に軍事介入するつもりなど全くないだけではなく、パレスチナ難民が自国に大量流入することを非常に恐れています。

エジプトの国家安全保障評議会は、パレスチナ人がエジプトに大量に流入することは、エジプトの国家安全保障上のレッドラインだと明言しています。

なぜなら、パレスチナ人の中には当然、多数のハマスが含まれている。ハマスの大半は便衣兵です。外見では一般人と区別がつかない。

しかも、ハマスを作ったのは、エジプトで生まれたイスラム過激派テロ組織の最古参であるムスリム同胞団です。ムスリム同胞団のガザ支部がハマスですから、ハマスのエジプト入りを認めるということはすなわち、ハマスがムスリム同胞団と一緒になってエジプトを転覆させる動きに出ることになる。エジプトは実際、２０１１年にそれを体験しています。

だから、「レッドライン」という非常に強い言葉で、ガザ住民をエジプトに受け入れるわけにはいかないとはっきり言っている。彼らがパレスチナ人はパレスチナにとどまれと言っているのは、パレスチナ人のためのように聞こえるかもしれませんが、第一義的には自国の安全保障のためなのです。

東大教授の池内恵氏は、新潮社ニュースサイト「フォーサイト」への10月8日の寄稿で、「ハマースがアラブ世界の中で地位を認められ、そこから和平交渉に向かうきっかけになる可能性もある」と述べています。彼は、エジプトをはじめとするアラブ世界にとって、ハマスがレッドラインであることを理解できていないようです。

（２０２３年10月16日）

ハマスのテロがガザ人道危機にすり替わる

２０２３年10月7日に起こったハマスによるイスラエルへの大規模テロ攻撃に対して、イスラエルは、捕われた200人以上の人質の奪還とハマスのインフラを破壊するために、ガザへの地上作戦を行いました。

それに先立ち、イスラエルはガザの住民にガザ南部への退避を呼びかけました。

これについて、読売新聞は一面トップ記事で次のような見出しの記事を掲載しました。

「ガザ『100万人家追われた』国連機関　人道危機深刻化」（池田慶太・笹子美奈子、2023年10月16日）

これは読者が見た瞬間に、「なんてひどいんだ!」という印象を受ける見出しです。しかも、『国連機関』が人道危機が深刻化していると言っている。イスラエルというのはとんでもない国だ」という印象を与える。

では、なぜこのような人道危機が起こっているのか。不思議なことに、読売新聞の記事ではその点がぼやかされています。そして、読売新聞の記事はなぜか、そのすべてがイスラエル軍のせいであるかのように書かれている。

これは実に巧妙な印象操作です。人道危機を作り出したのはイスラエル軍ではない。ハマスです。ハマスというテロ組織がガザを根城に強大化した。イランから資金と武器を与えられ、巨大なモンスターのように成長した。越境してイスラエルに極めて残忍な大規模テロ攻撃を仕掛けた。そして、ガザ市民を盾にとって、ガザに立てこもった。

イスラエルがハマスに対して反撃するという段階に至って、ハマスは急に被害者カードを切る。世界に向けて、かわいそうなガザ市民、家を追われ、食べ物もなく、人道危機に陥っているあわれなガザ市民の代表ヅラをする。悪いのは全部イスラエルだと論《あげつら》う。

国連も、そうだそうだとハマスに同調する。そして、国内問題に関しては比較的バランスの取れた報道をする読売新聞ですら、この論調を見出しにとって報じる。ハマスは大喜びです。いつもの「弱者パレスチナは正義」作戦が大成功しているわけですから。

国連やメディアや「専門家」は、ガザ住民が退避できるわけがないと強調してきました。しかし、事実として、60万人以上が退避しました。退避できない人がいたのは、ハマスが彼らを退避させまいと邪魔したからです。家にとどまれと命じたからです。車の鍵を奪い取り、トラックで避難路を塞いだからです。

ハマスがガザの人々を退避させなかったのは、彼らを「人間の盾」にするためです。ハマスのガザ地区のトップであるヤヒヤ・シンワールは、常にこう言っています。我々は生きることに執着しない。我々パレスチナ人は、自己犠牲を厭わない。パレスチナ解放のために、魂と血を捧げるのだと。ヤヒヤ・シンワールはかつて、こう言ったこともあります。パレスチナ解放のために、我々の最も大切なもの、つまり女と子供の命を捧げるのだ、女と子供を「ダム」として利用するのだ、と。

ハマスは、ガザの人々に自己犠牲を強制している。彼らに自己犠牲の美徳を説いて、それこそがイスラム教の正しい行いなのだと主張し、実際は自分たちの盾として利用する。盾として利用した市民が死ねば、それを「ほら、こうやってイスラエルは人道に反する罪を行っているんだ！」と世界に向けて絶叫する。

それをまた日本のメディアが書き立てる。ハマスのテロが始まりだったのに、人々の記憶からハマスのテロは消え去り、ガザで人道上の罪を犯すジェノサイド国家イスラエルという印象だけが残る。彼らのやっているのは、歴史の捏造だと言っても過言ではない。

いつもの繰り返しです。これがハマスの戦略であり、日本のメディアはいつもそれに加担している。自分たちがなんとなく、反イスラエル、反ユダヤ主義に突き動かされているという自覚もなければ反省もない。これでメディアも「専門家」も「リベラル」を謳っているわけですから、全く自己矛盾、倒錯も甚だしいとしか言いようがありません。

（２０２３年10月17日）

中東研究者の「ガザ停戦アピール」の異様さ

２０２３年10月７日に起きた、ハマスによるイスラエルへの大規模テロ攻撃について、中東研究者たちは、「ガザの事態を憂慮し、即時停戦と人道支援を訴える中東研究者のアピール」

なるものを発表しました。以下がその全文です。

　中東のパレスチナ・ガザ地区をめぐる情勢が緊迫、深刻化しています。私たちは、中東の政治や社会、歴史、中東をめぐる国際関係等の理解、解明に携わってきた研究者として、また中東の人々やその文化に関心を持ち、中東の平和を願ってさまざまな交流を続けてきた市民の立場から、暴力の激化と人道的危機の深刻化を深く憂慮し、以下のように訴えます。

一、即時停戦、および人質の解放。

二、深刻な人道上の危機に瀕しているガザを一刻も早く救済すること。ガザに対する攻撃を停止し、封鎖を解除して、電気・水の供給、食糧・医薬品等の搬入を保証すること。軍事作戦を前提とした市民への移動強制の撤回。

三、国際法、国際人道法の遵守。現在進行中の事態の全局面において人道・人権に関わる国際的規範が遵守されることが重要であると共に、占領地の住民の保護、占領地への入植の禁止等を定めた国際法の、中東・パレスチナにおける遵守状況に関する客観的・歴史的検証。

四、日本政府をはじめとする国際社会は、対話と交渉を通じて諸問題を平和的・政治的に解決することを可能とする環境を整えるため、全力を尽くすこと。

ガザをめぐる深刻な事態は、戦闘・包囲下に置かれた無数の市民の命を奪い、多大な犠牲を強いているだけでなく、もしこれを放置すれば中東の抱える諸課題の平和的解決が半永久的に不可能になり、中東、さらには世界全体を、長期にわたる緊張と対立、破局に引きずりこみかねない危険なものです。日本は戦後、パレスチナ問題に関しては中東の人々の声に耳を傾けて欧米とは一線を画した独自外交を展開してきた実績があり、中東との相互理解・友好を深める交流は、市民レベルでも豊かに展開されてきました。このような蓄積・経験を今こそ生かし、人道的悲劇の回避と平和の実現のために力を尽くすことを呼びかけます。

（中東研究者有志ウェブサイト、2023年10月17日）

最初から最後まで、極めて不気味な声明文です。
最初の、「中東のパレスチナ・ガザ地区をめぐる情勢が緊迫、深刻化しています」というところからしてすでにおかしい。まるで地震や津波などの自然災害が起こったかのように書いていますが、全く違います。イスラム過激派テロ組織ハマスがイスラエルの民間人に対して無差別テロを実行したからこそ情勢が緊迫化したのです。その原因について、この声明は全く触れない。ハマスのテロについて一切言及せず、自然災害のようにガザ情勢が緊迫したと描写する。ここからしてすでに声明はおかしいのです。

しかし、この人たちは自らを、こう位置付けます。

「私たちは、中東の政治や社会、歴史、中東をめぐる国際関係等の理解、解明に携わってきた研究者として、また中東の人々やその文化に関心を持ち、中東の平和を願ってさまざまな交流を続けてきた市民の立場から……」

彼らがどのように自らの立場を取り繕おうとも、私は以下の「呼びかけ人」として書かれている人たちが何をやってきたか、何を言ってきたか、知っています。どんな活動をしてきたかも知っている。

飯塚正人（東京外国語大学、イスラーム学、中東地域研究）、鵜飼哲（一橋大学、ポスト植民地文化論、現代フランス文学・思想）、臼杵陽（日本女子大学、中東近現代史）、大稔哲也（早稲田大学、中東研究）、岡真理（早稲田大学、アラブ文学）、岡野内正（法政大学、政治経済学、国際関係論）、栗田禎子（千葉大学、中東現代史）、黒木英充（東京外国語大学・北海道大学、中東地域研究）、後藤絵美（東京外国語大学、現代イスラーム研究、ジェンダー研究）、酒井啓子（千葉大学、中東政治研究）、長沢栄治（東京大学・東京外国語大学、現代アラブ思想、エジプト近代史）、長沢美抄子（中東文化研究家、パレスチナ問題）、奈良本英佑（法政大学、パレスチナ研究）、保坂修司（日本エネルギー経済研究所、ペルシャ湾岸地域近現代史、中東メディア論）、三浦徹（お茶の水女子大学、アラブ・イスラーム史）、山岸智子（明治大学、文化論、イラン地域研究）、山本薫（慶應義塾大学、アラブ文学、中東地域研究）

この人たちは、「中東の政治や社会、歴史、中東をめぐる国際関係等の理解、解明に携わってきた研究者」という衣をまとって、ひたすら偏向した中東イスラム観を大学や日本社会に広め、研究者という立場を利用した政治活動をしてきました。

詳細は拙著『イスラム教再考』（扶桑社新書）に書きましたが、この人たちは、「イスラームは平和の宗教」だと主張し、それに反する主張をする私のような人間を排除することで、そのプロパガンダを守ってきた。この人たちのプロパガンダの一つが、「パレスチナは絶対善、イスラエルは絶対悪」というものです。

彼らは、ハマスのようなパレスチナのイスラム過激派を、あたかもパレスチナの代表であるかのように称賛する。ハマスについて、「草の根運動を繰り広げ、市民を助けてきた。だから市民から支持されているのだ」と主張する。ハマスがガザ市民を暴力で支配し、高い税金を搾り取り、自分たちは豪華な生活をしていることには触れない。ハマスが気に入らない市民に「イスラエルのスパイ」のレッテルを貼り、虐殺している件には触れない。ハマスがガザのインフラを破壊し、水道管でロケット弾を作ったりしていることには触れない。ハマスがガザ住民を「人間の盾」に利用し、その命を自らのプロパガンダに利用していることには触れない。

彼らは、「弱者パレスチナは絶対善」のプロパガンダの下に、ガザ市民もまたハマスの犠牲者だという側面を完全に無視して、イスラエルへの憎悪を煽ります。

だから、彼らはハマスのテロには触れない。まるで自然災害が起こったかのように「ガザ情勢が緊迫した」と書き、次のように脅迫するわけです。

「ガザをめぐる深刻な事態は、戦闘・包囲下に置かれた無数の市民の命を奪い、多大な犠牲を強いているだけでなく、もしこれを放置すれば中東の抱える諸課題の平和的解決が半永久的に不可能になり、中東、さらには世界全体を、長期にわたる緊張と対立、破局に引きずりこみかねない危険なものです」

このように恐怖を掻き立てる。日本人が皆、パレスチナやガザのことを知らないという、その無知を利用して、日本人の不安を煽る。お前たちは何も知らないだろう、我々の言う通りにしないと世界が「破局」する、と言って脅すわけです。

彼らはこうも言っている。

「日本は戦後、パレスチナ問題に関しては中東の人々の声に耳を傾けて欧米とは一線を画した独自外交を展開してきた実績があり、中東との相互理解・友好を深める交流は、市民レベルでも豊かに展開されてきました。このような蓄積・経験を今こそ生かし、人道的悲劇の回避と平和の実現のために力を尽くすことを呼びかけます」

これを見て合点がいった方もいらっしゃるでしょう。この中東研究者の「欧米とは一線を画した独自外交」というのが、日本の中東外交を蝕んできたのです。

私は、岸田政権の外交を「全方位嫌われ外交」と呼んでいます。それは、この中東研究者たちの意向に大きく影響されています。だから、日本政府は今でもイランとの伝統的友好関係云々と言って、イランとの仲良しぶりを平気でアピールする。

イランを脅威とみなす湾岸産油国が、イランとの仲良しぶりをドヤ顔で自慢する日本を快く思うわけがありません。日本政府は中東で独自のバランス外交を展開していると自負しますが、それが成功していると思っているのは日本だけで、客観的には失敗しています。しかも、日本政府、外務省にはその自覚すらない。

中東研究者の中には、不自然なほどイラン研究者がたくさんいます。彼らはイランが大好きなのです。彼らがイランを絶賛するのは、今のイラン体制が、革命により親米体制転覆に成功した「ロールモデル」であり、反米路線を明確に示しているからです。

彼らはイランを応援し、世界がイランと一致団結して、憎きアメリカ、憎きイスラエルという二大強者、二大巨悪を倒し、世界革命を起こすことを願っている。だから、彼らはイランの子飼いのテロ組織ハマスを応援するのです。ハマスのテロで世界のイスラム教徒が蜂起すれば、世界同時イスラム革命の成就も夢ではない……。

つまり、日本の中東研究者たちは、ハマスと同じ夢を抱いているのです。実に気持ち悪いのですが、これが真実なのです。この人たちの政治的偏向は、この人たちが過去に、『特定秘密保護法案』に反対する中東研究者の緊急声明」、「『安保法案』に反対する中東研究者のアピール」などを発表し、「日本学術会議会員任命拒否問題フォーラム」を開設していることなどからも明白です。彼らは、日本では反体制派です。

彼らはイスラムをすばらしいと褒めそやし、パレスチナは抑圧されている、かわいそうな弱者だといって同情を集め、イスラム革命の土壌を日本でも醸成することをめざしている。

そんな彼らに補助金を与え、共依存関係を築き、間違った外交を続けているのが日本の外務省と政府です。その結果、日本はアラブ諸国から嫌われ、イランからバカにされ、イスラエルやG7といった自由民主主義の国からは不信の目で見られている。これが今の日本の客観的な姿です。

（2023年10月19日）

サウジがハマスを切り捨てた瞬間

日本では、ハマスのプロパガンダがそのまま「専門家」やメディアにより垂れ流されていますが、アラブのニュースチャンネルでは、ハマスの指導者がウソをつく様子が報じられました。

サウジアラビアを代表するニュースチャンネル「アル・アラビーヤ」が、ハマスの指導者（海外部門）であるハーリド・マシュアルに1時間にも及ぶインタビューをし、それを生放送しました。このインタビューは、極めて画期的で、かつ重要です。

第一に、アル・アラビーヤというのは、ユーチューブを開くと「アル・アラビーヤはサウジ政府によりその全体若しくは一部の出資を受けています」という注意事項が表示されるように、サウジの準公式放送局です。要するに、サウジの国家としての意向が反映された放送局だということです。そのアル・アラビーヤがハマス指導者をゲストに迎える。ここまでは「ふつう」です。

今回のインタビューの何が画期的だったかというと、アル・アラビーヤのアンカーの女性がハマスを非難する姿勢でインタビューに臨んだことです。

アラブ人、アラブ諸国というのは、概ね、いや、ほぼすべてが親パレスチナです。サウジも「パレスチナの大義」を支持している。そして、ハマスも「パレスチナの大義」を掲げて「抵抗」している。だからこれまで、サウジを含むアラブ諸国はハマスを非難しきれないところがあったわけです。

ところが、今回のインタビューで、アル・アラビーヤのアンカーは明らかにハマスを非難した。これは、サウジがハマスを切り捨てた、見捨てたということです。かつてない、異例の事態です。たとえば次のようなやり取りがありました。

アンカー「ハマスが行った攻撃は通常の作戦ではありません。（イスラエルに対する）宣戦布告に近い。（略）これはあなたたちが独断で決定したのであって、他の党派、パレスチナ自治政府、そしてガザの人々は、これについて全く相談されていませんよね」
マシュアル「我々はあの『独創的な瞬間』を、ごく一部の人々にしか知られないようにしなければならなかった。（独断でやったからこそ）カッサーム旅団が敵や世界中の情報機関を驚かせることに成功したのです。我々は決して新しいことに着手したわけではない。すべては抵抗の一部なのだ。ある措置が取られる時、それは我々の民が合意した正当な抵抗の文脈の中にあるのです」

つまり、アンカーは「ハマスは勝手にやった」という見方を示し、ハマスは「オレたちはパレスチナ人の代表としてやった」と反論しているわけです。

次のようなやり取りもあります。

アンカー「あなたは10月7日の攻撃を決定し、今、アラブ諸国に参加を要請していますね。アラブ諸国はこの決定に参加していません」

マシュアル「占領下にある以上、そうするのは当然の権利だ。なぜこのようなことをしたのか、誰かに相談したのかどうかを尋ねる権利は誰にもない」

つまり、アル・アラビーヤはハマスに対し、我々アラブ諸国はあなたたちハマスとは違うんです、一緒にされたら迷惑なんですと言っているわけです。我々に責任はないし、一緒に戦う気もなければ義務もない、と示唆しているわけです。

ハマスによるイスラエルに対する大規模テロ攻撃について、日本はアラブ諸国に石油を依存しているので、イスラエル側に寄った対応をすべきではない、そんなことをしたらアラブから石油を売ってもらえなくなる、だから岸田政権のバランス外交は正しいのだと主張する人がしばしば見られます。

こうした岸田アゲ記事にいつも登場するのは、次のようなフレーズです。

「イスラエルとアラブ諸国の双方にパイプを持つ日本独自の立ち位置を生かし、緊張緩和に貢献」「中東情勢ではイスラエルへの全面支援を約束する米国とは異なり、バランス外交に重点を置く。日本は原油の大半を中東に依存しており、アラブ諸国は国益の観点からも重要なパートナーだからだ」（以上、「岸田首相、ガザ情勢で連夜の電話会談　当事者とは実現せず」産経新聞、2023年10月19日）

これは壮大な勘違いです。私は以前から、ハマスとパレスチナは違う、アラブ諸国は「パレスチナの大義」は支持するがハマスは支持しない、アラブ諸国にとってもハマスはテロ組織であり迷惑千万だ、と主張してきました。サウジの元情報長官もハマスによる民間人大虐殺を批判しています。UAEの国連大使もハマスを非難しています。

日本政府、あるいは日本の外務省は、ハマスに忖度することがアラブ諸国に忖度することだと勘違いしている。繰り返しますが、これは大きな過ちです。時代は変わった。ハマスでもなんでも、「パレスチナの大義」を掲げ「抵抗」する者は無条件で支持する、という時代は、とうの昔に終わっているのです。

ところが、そもそもそれを外務省に進言すべき立場にあるはずの、東大教授・池内恵氏のような「専門家」が、外務省から補助金をもらい、ハマースがアラブ世界の中で地位を認められ和平交渉に向かう可能性もある云々と、現実離れした「分析」で外務省の前例をひたすら追認する。だから、日本の中東外交は、50年前から変わらないままなのです。

それに、そもそも日本は、アラブ産油国にとって治安上の最大の脅威であるイランのことを「伝統的友好国」云々と持ち上げ、ことあるごとに友好関係をアピールしているわけで、この時点でアラブ産油国の日本に対する信頼など期待する方が無理というものです。日本の外務省はこのあたりを完全に履き違えている。

第二に、アル・アラビーヤはハマスがウソをつき、民間人虐殺を堂々と正当化する発言を引き出しました。ハマスはこれまでも同様のことを主張してきた。しかし、今、この状況でこの発言を、しかもアル・アラビーヤで繰り返すことの意義は非常に大きい。次のようなやりとりがありました。

アンカー「西側諸国の人々がテレビで見たのは、ハマスによるイスラエル市民への攻撃です。ハマスの海外でのイメージはあなたの責任です。ハマスが『イスラム国』と並べられるようになったのは、あなたの責任です」

マシュアル「それはネタニヤフ首相がでっちあげた言いがかりだ。残念ながら西側諸国はこれに協力している」

アル・アラビーヤは、民間人大虐殺について、ハマスを非難し、ハマスに責任を負わせている。それに対してハマスは、イスラエルの陰謀だと言ってはぐらかしているわけです。

さらに、アル・アラビーヤのアンカーはこう言います。

アンカー「ハマスがイスラエルの民間人に対して行ったこと（虐殺）が見出しに載っているのに、どうして欧米や世界の人々に「パレスチナの大義」を支持するよう求めることができるでしょう？　イスラエルが多くの同情を得たのは、このような光景があったからでしょう。民間人をこのように扱うことは、ハマスのイデオロギーの一部なのでしょうか」

マシュアル「どの戦争でも民間人の犠牲者が出るものです。私たちに責任はありません」

アンカー「10月7日にイスラエル市民に行われたことを謝罪しますか？」

マシュアル「謝罪はイスラエルに要求されるべきだ。あなたは私に質問し、私は明確に答えている。ハマスが意図的に民間人を殺すことはない。我々は兵士を標的にしている。

それが、ハマスだ」

このように、アル・アラビーヤはハマスを非難し、ハマスは民間人を標的にはしていないとウソをつき、民間人に犠牲が出るのは仕方がない、我々に責任はないと責任逃れをしている。

ハマスは村を襲撃し、赤ちゃんから老人まで惨殺、音楽フェスを襲撃して参加している人々を無差別に銃殺、女性を次々レイプして殺しました。しかし、マシュアルは、ハマスは兵士しか殺さない、民間人を殺さないと言っている。

ハマスはいつもウソをついているのですが、こうしてハマスの指導者がアラブのニュースチャンネルではっきりとウソをつく様子が全世界に配信された意義は大きいと思います。

第三に、アル・アラビーヤはハマスがパレスチナの民間人を「人間の盾」として利用することも平気で正当化している、その発言も引き出しました。マシュアルはこう言っている。

マシュアル「親愛なる姉妹よ、民族は簡単には解放されない。ロシアはヒトラーの攻撃から解放するために、第二次世界大戦で3000万人を犠牲にした。ベトナムはアメリカを破るまで350万人を犠牲にした。アフガニスタンはソ連、そしてアメリカを倒すために何百万人もの殉教者を犠牲にした。アルジェリアの人々は130年の間に600万人の殉教者を犠牲にした。パレスチナの人々も他の民族と同じだ。犠牲なくして解放される民族はないのです」

これもハマスがいつも言っていることです。ハマスのガザ地区の指導者であるヤヒヤ・シンワールは2018年、「女や子供たちの体」は我々にとって最も大切であり、だからこそ「女や子供たちの体」を「ダム」として利用するのだと「アルジャジーラ」で述べました。ダムとは何かというと、アラブ諸国とイスラエルが国交正常化するのを防ぐためのダム、という意味です。

ハマスがウソつきで、ハマスが民間人虐殺も民間人を「人間の盾」に利用することも正当化していること、ハマスがアラブ諸国から見捨てられ、アラブ諸国はパレスチナとハマスを切り離して考える方向へと舵を切ったこと。

こうした事実が日本のメディアでは全く報じられず、本来こうした事実を解説すべき「専門家」がひたすらハマスを擁護している現状は、本当に異様だとしか言いようがありません。

（2023年10月21日）

東大特任准教授のハマス解説のウソ

「NHK国際ニュースナビ」ウェブサイトには、「最新パレスチナ情勢 なぜイスラエルと衝突？ ハマスって？ 解説」（2023年10月16日）という記事が掲載されています。解説しているのは東京大学の鈴木啓之《ひろゆき》という特任准教授で、「パレスチナ情勢に詳しい」とされています。

彼は、東京外国語大学を出た後、パレスチナ研究者の臼杵《うすき》陽《あきら》氏に師事し、『パレスチナを知るための60章』（明石書店）という共編著も出しているようです。

この『パレスチナを知るための60章』の著者たちの面々は、私が『イスラム教再考』でさんざん取り上げた反米左翼陰謀論者の板垣雄三《いたがきゆうぞう》大先生と、その自称「エピゴーネン」である臼杵陽氏、その娘などなど、日本のパレスチナ研究者オールスター勢揃いです。

話が脱線しましたが、要するにこの鈴木氏は、日本の中東イスラム研究業界の「正統派」であるということです。では、鈴木氏が本当にパレスチナ情勢に詳しいのか、検証していきます。

鈴木氏はハマス誕生についてこう語ります。

〈ハマスが設立されたのは1987年12月です。それまでガザ地区を中心として、社会福祉活動を行っていた団体が、第1次インティファーダ（イスラエルに対するパレスチナ住民の大規模な蜂起）の発生を受けて、実力行使部隊を伴って形成されました。これがハマスです。つまり、政治運動としての姿を現したのが１９８７年12月というわけです。〉

まず、日本語の意味がわかりません。福祉活動を行っていた団体が実力行使部隊を伴って形成された？　意味不明です。

ハマスは、イスラエル殲滅のために作られたテロ組織です。公安調査庁は、「注目される国際テロ組織」の一つとしてハマスを取り上げ、「ハマスは１９８７年12月、ガザ地区で発生した第一次インティファーダがパレスチナ全域に拡大した際、同地区の『ムスリム同胞団』最高指導者シャイク・アフマド・ヤシン（２００４年死亡）が、武装闘争によるイスラム国家樹立を目的として設立した武装組織である」と解説しています。この解説はヤシン自身の発言と「ハマス憲章」に立脚している。

ところが、鈴木氏は東大特任准教授という立場と、テレビや新聞に登場する機会を利用し、ハマスは福祉団体なのだという「事実」をでっちあげようとしている。彼は現在進行形で、歴史を捏造していると言っていい。

ハマスが政治をやるのは、イスラム教がそもそも政治も社会も軍事も一体として実践する宗教だからであり、福祉活動や政治活動をやれば海外からの支援金も集めやすく、マネー・ローンダリング（資金洗浄）もしやすく、同情を得るのも容易《たやす》いからです。

鈴木氏は、福祉だの政治だのという言葉を持ち出し、たくみにハマスのテロ組織としての本質から人々の目をそらせようとする。

繰り返します。ハマスはイスラエル殲滅、つまり、イスラエルという国家をこの世から消滅させることを目的としているテロ組織です。ハマスにはイスラエルとの共存や話し合いという選択肢はない。テロ一択です。彼らはそれを「抵抗」という概念で正当化し、自分たちにはそれをする権利があると主張する。

鈴木氏はこう続けます。

〈その後、ハマスは1990年代半ばから2000年代初め頃にかけて、パレスチナ政治の中で、PLO＝パレスチナ解放機構が主導する政治方針、それはイスラエルとの和解であるとかイスラエルと共存した形でのパレスチナ国家の樹立といったことに、批判を向けまして、そして、自らの直接行動ということに乗り出していきます。その中で編み出されていくのが「自爆攻撃」です。〉

「批判を向けまして、直接行動で、自爆攻撃が編み出されました」とありますが、編み出されたのではない。ハマスが主体的に編み出したのです。

みなさん、鈴木氏のごちゃごちゃした説明に惑わされてはなりません。ハマスは自爆テロをするテロ組織です。福祉や政治をやれば、自爆テロは是認されるのか、という問題です。

鈴木氏はこう続けます。

〈1990年代に最初に行われ、その後、2000年代、第2次インティファーダまたはアルアクサインティファーダと呼ばれる時期に、ハマスは多くの自爆攻撃を実行しました。これによって、ハマスはテロ集団、テロ組織であるということでイスラエルによって強く非難をされていたわけです。〉

鈴木氏は、ハマスをテロ組織呼ばわりするのはイスラエルだけだ、イスラエルによる不当な評価なのだ、みたいなことを書いていますが、多くの自爆テロをする実際のテロ組織であり、世界中が非難しました。

ここから鈴木氏は論点ずらしに入ります。

〈一方で、2000年代の中頃から、ハマスの中で、政治部門の主導が強くなり、選挙に参加をする、選挙を通して自分たちの支持を獲得するという動きを見せていきました。2006年1月、パレスチナの自治政府で2回目の選挙が行われます。この選挙にハマスは参加を表明し、ハマスの政党が過半数の議席を取りました。

この段階で、ハマスには「3つの顔」ができたと言っていいと思います。

①　政党としての姿

②　福祉団体としての元々の姿

③　実力行使部隊としての軍事部門、軍事組織としての姿です。

全ての面がハマスを構成しているわけですけれども、この3つのどの面が出てくるのか、どの面から見るかによって、ハマスのイメージというのは大きく変わってきます。〉

これは、ハマスの主張と全く同じです。ハマスの海外部門の指導者であるマシュアルも、サウジアラビアのニュースチャンネル「アル・アラビーヤ」でのインタビューで「我々は政治部門であり、軍事はカッサーム旅団がやるものだから我々に責任はない」と言っていました。マシュアルも鈴木啓之氏も、ハマス全体がテロ組織と認定されるのを避けるべく、全力で頑張っているのです。

そのために鈴木啓之氏は、ハマスは福祉もやってるんだ、政治もやってるんだと強調する。しかし、福祉をやりつつ、「あなたたちは魂と血をパレスチナに捧げなさい」とパレスチナ人を平気で死に追い込んでいるなら、それは福祉団体を隠れ蓑《みの》にしたテロ組織でしかない。

ハマスの指導者マシュアルも、「犠牲なくして解放される民族はない」と、パレスチナ人を「人間の盾」として利用することを正当化していました。これが「福祉団体」のやることでしょうか。福祉団体ならば、ハマス幹部の所有する約2兆円の資金でガザの貧困者を救えばいい。しかし、ハマスはそうはしない。答えはすでに出ています。

ハマスは政治もやってる？　では、ハマスは頑張って政治をやった結果、イスラエルの民間人を大虐殺することに決めた、ハマスは頑張って政治をやった結果、パレスチナの民間人を「人間の盾」にし、イスラエル人に殺されたら、それをプロパガンダに利用しようと、そう決めたというわけですか。日本では、オウム真理教も政党を作り政治活動をやっていた。だからといって、オウムのテロが正当化されていいはずがない。

鈴木氏のめちゃくちゃなハマス擁護はこう続きます。

〈ハマスの中でどれほど集団的に意思決定がなされていたのかについて、慎重に判断をすべきではないかと思います。武装部門、カッサム旅団による非常に戦闘的なメッセージと、政治部局が出すガザへの人道的介入を求めるといったようなメッセージの間には明らかに温度差があると私自身は読み取っています。〉

この人の言っている「政治部局」のトップが、まさにマシュアルです。政治部局がガザへの人道的介入を求めるメッセージを出している？　ウソも休み休み言っていただきたい。

政治部局は、イスラエルの民間人を標的にしていないとウソをつき、ハマスが拉致したイスラエル人は全員「囚人」だとウソをついた。赤ちゃんが含まれているにもかかわらずです。

そして、民間人大虐殺はパレスチナ人の総意なのだと言ってパレスチナの代表を僭称し、さらに、パレスチナ人を犠牲にするのはパレスチナ解放のためには仕方ないのだと正当化している。そして、ハマスがやっているのはジハードであり、イスラエル殲滅まで、さらには全世界を征服するまでジハードを続けると明言している。これのどこが「人道的介入を求めるメッセージ」なのか。

まだまだ鈴木氏のウソは続きます。

〈2007年6月、ハマスがガザ地区をファタハから奪取して掌握するということが起きて以降、ハマスはガザ地区内部で政府として振る舞うということをしています。それは、国際的またはイスラエルなどが認めない動きではあったわけですけれども、実際に市民サービスなども含めて、ハマスが運営する政府が担っているという状態になっています。〉

なるほど、市民サービスを担っているから、市民の住宅地や病院や学校に、ハマスは軍事拠点を作っていると。

〈具体的には市役所での窓口業務など、私たちが想像するような業務ですね。たとえば市役所に相談に行くであるとか、保健施設に健康上の話で相談に行くというときに、ハマスの公務員、またはハマスのメンバーがいて、日常的に目にするわけです。場合によっては、そうした人が窓口を担当してるということも当然あります。ハマスといっても、日常生活の中でその姿を目にする存在です。〉

なるほど、ハマスは普段から、人々の健康相談に乗っているから、パレスチナ解放のために市民を盾にとって自分たちがその背後に隠れるのも仕方がないのだと、そういうわけです。

さらにウソは続きます。

〈ガザ地区の大きな問題は飲料水の確保と食料の安全です。汚水を処理するための浄化槽に回っていない。ガザ地区には安全に飲むことができる井戸水がほとんどないとされていて、ガザは人が住めなくなる土地になってしまうということを言っていたわけです。〉

国際社会が大金を支援して、ガザに上下水道を整備する事業を行ってきたのに、水道管を根こそぎ掘り出して、それを使ってロケット弾を作って、無差別テロをやっているのがハマスです。まるで、誰かのせいであるかのように言っていますが、はっきりいって、ハマスのせいです。この人は、ウソやはぐらかしでハマスを擁護し、こう言うわけです。

〈ガザ地区には多くの民間人、住民が暮らしていて、その数は200万人を超えています。そうした人々の命が今、危機にさらされていることに私たちは思いをはせる、理解をしていく必要があります。〉

では、ガザの民間人を搾取し、利用してきたのがハマスだということを理解すべきだと思うのですが、この人はあくまでもハマスを擁護する。実に支離滅裂です。

鈴木氏の手にかかると、ハマスは「大衆運動」「市民を代弁」していることになる。市民を盾にとって自分たちはトンネルに隠れるハマス、オレたちに市民を守る義務はないと放言して憚《はばか》らないハマスを、鈴木氏は福祉団体なんだといって擁護する。「ハマスこそ正義」と主張するために無理やり捻り出した「理論」にしても、あまりにも杜撰《ずさん》であり、事実と乖離《かいり》しすぎている。これを「東京大学特任教授」があらゆるテレビ局の番組に出演して垂れ流し、日本国民を「ハマスはいい人たちだ」と洗脳する。

ハマス擁護論で得をするのはハマスだけではありません。中国、ロシア、北朝鮮も得をする。ハマス高官は、10月7日の攻撃を中国、ロシアに誉められたと自慢げに語り、北朝鮮は我々の同盟国だと宣言している。「ガザの人々に思いをはせましょう」云々と言って「寄り添い仕草」を見せる鈴木氏は、その実、テロを擁護し、中国、ロシア、北朝鮮を利するプロパガンダに加担しているのです。

日本の中東研究と中東報道の異様さを煮詰めたような、そんな番組が量産されています。

（２０２３年10月21日）

ハマスの拉致を正当化する防衛大准教授

なぜ、中東の「専門家」はハマスのようなイスラム過激派テロ組織を擁護するのか、とよく聞かれます。それはなぜなら、彼らが今ある社会、日本という国、世界の秩序のすべてをめちゃくちゃに破壊し、「理想社会」を作ることを夢見ているからです。しかし、彼ら自身にその力はない。だから、彼らは自分の夢を、とてつもない武力と破壊力を持ったイスラム過激派に託しているのです。

中でもハマスは、彼らの夢と希望を投影するのに最高の存在です。なぜなら、ハマスは「弱者パレスチナ」を代表し「強者イスラエル」に対する抵抗運動をしているのだと自称しているからです。

「弱者こそ正義」「弱者はいつも善人であり無条件で寄り添わなくてはならない」と思い込んでいる人に、ハマスはよい組織なのだと思い込ませるのは簡単です。パレスチナ人がいかに虐げられたかわいそうな弱者であるか、イスラエルがいかに強大な軍事力でパレスチナ人を制圧する抑圧者であるかを強調し、ハマスは命懸けでパレスチナ人を守っている、助けている、支えていると付け足せばいいのです。

だから、「専門家」たちはテレビや新聞で、懸命に「ハマスは福祉団体」だの「ハマスはガザの人々によりよい生活を提供しようとしているんだ」などというウソを並べ立て、メディアは「空爆される悲惨なガザ」などの映像で非対称性を強調し、「専門家」と一緒になってハマスを擁護する論調に終始する。実に異様な光景です。

ＢＳフジ『プライムニュース』の「【軍事的合理性を優先?】イスラエルの軍事力と戦略　池田明史×岡部俊哉×江崎智絵」（２０２３年10月19日放送）と題した番組では、防衛大学准教授の江崎智絵氏が出演し、中東情勢について解説しました。

番組では、次のような視聴者からの質問が読み上げられました。

「イスラエルは誰も抑えることができないということが明らかになりました。だとすると、この戦いの落とし所はどこになりますか？　ガザのパレスチナ人に明日への希望はありますか？」

まず、この質問、そしてそれを番組が読み上げたことから理解できるのは、「イスラエルというのは誰も止めることのできない暴走ジェノサイド国家だ」という認識を、番組も視聴者も共有しているということです。

これはもう、これだけでハマスの勝利なのです。

よく、ハマスが軍事国家イスラエルにテロ攻撃をするのは合理性がない云々と主張し、だから、これはイスラエルの陰謀なのだと仄《ほの》めかす人がいますが、ハマスはこうして、日本のメディアやその視聴者を操り、大多数を反イスラエルに染め上げることに成功している。

世界中で反イスラエルのデモ、暴動を引き起こすことに、ハマスは成功した。世界各地でイスラエル人やイスラエル大使館が襲撃されている。それだけではありません。ユダヤ学校が脅迫され、ユダヤ人が襲われ、殺されている。世界中でホロコースト以来、最悪水準の反ユダヤ主義が吹き荒れています。アメリカ大使館や米軍も攻撃されている。ハマスの作戦は成功したのです。戦闘に負けて戦争に勝つ、これがハマスの戦略です。

ハマスのテロには合理性があるのです。ハマスや中東について完全に無知な安全保障の専門家や軍事の専門家が、ハマスの攻撃に合理性がない云々というのは、それはハマスを知らないからです。中東を知らないからです。

質問を読み上げたアナウンサーは、「いかがでしょうか？」とこの江﨑氏に話を振ります。それに対する江﨑氏の回答が以下です。

江﨑「ハマスはおそらくガザの人々に、少しでもよい生活を提供するために、人質なんかをバーゲニングカードにしていると思うんですね。彼らが求めているのはガザの封鎖の解除であり、緩和です。これが停戦協議に盛り込まれるか、ということ次第で、ガザの将来が明るくなる可能性もないとはいえないと思います」

これはウソに立脚している上に、恐ろしい論理です。ハマスの目的は「ガザの人々によりよい生活を提供する」ことではありません。ガザの人々によりよい生活を提供することをめざす組織が、子供の遊び場やモスクにロケットランチャーを設置したりはしません。ガザの子供たちの通う学校を武器庫にしたり、学校で子供たちを軍事訓練キャンプに誘ったり、学校で子供たちに「ユダヤ人を殲滅せよ」と教え、ジハードをして殉教する人生こそ最良だと洗脳したりするはずがありません。

　ガザは今や、ハマスのテロの要塞です。ガザ全体がテロのインフラで覆い尽くされ、ハマスの基地になっています。にもかかわらず、ガザには一般の住民が身を守ることのできるシェルターはただの一つもない。ハマス高官は「トンネルはハマスのためのもの。一般人のためのものではない」と明言し、ガザ住民は難民なのだから国連とイスラエルが面倒を見るべきだと平気で責任逃れしています。

　ハマスが水道管を掘り出し、水道管を利用してロケット弾を製造している映像はよく知られているでしょう。ガザの人々によりよい生活を提供することをめざす組織が、なぜ、人々の生活に必須な水道を破壊し、それを利用して武器を作り、テロを行うのでしょうか。

　江﨑氏は、ハマスがガザの人々のよりよい生活をめざしているというウソをつき、そのウソによって、「人質なんかをバーゲニングカードにしていると思うんですね」とハマスによる拉致を正当化している。バーゲニングカードというのは、交渉の切り札という意味です。一般に馴染みのない横文字を唐突に持ち出し、一般人を煙に巻くのも、「活動家」によく見られる仕草です。

　これは恐ろしい主張です。よりよい生活のためなら拉致をしてもいい。よりよい生活のためならテロをしてもいい。彼女はこう言っているわけです。拉致の正当化、テロの正当化です。これは、民主主義や法治の原則と真っ向から対立するテロリストの論理です。

日本は法の支配、法に基づく秩序を支持する国家であり、それに立脚した外交を行うはずだったのではないでしょうか？　その日本の国防を担う人材を教育する立場にある人が、よりよい生活のためなら拉致もやむなし、テロも是認、などと平気で主張している。

それがテレビで全国に流される。しかも、それをテレビのスタジオで批判する人は誰もいない。この江﨑氏の主張がもっともであるかのように、皆が神妙な顔をして「なるほど」とうなずき、平然と場が進行する。

彼女の論理によれば、北朝鮮だって北朝鮮の人々によりよい生活を提供するために、日本人を拉致して交渉の切り札にしているのだ、と正当化される。北朝鮮による日本人拉致を正当化する論理を平然とテレビで述べる人物が、防衛大学校の准教授を務めているわけです。

江﨑氏は、ハマスの目的が「ガザの封鎖の解除であり、緩和」だと言っていますが、これもウソです。ハマスの目的は、イスラエル殲滅です。「ハマス憲章」にそう書かれており、ハマスも40年間、そう主張してきた。

江﨑氏というのは、ハマスの研究をしているらしい。では、それを知らないはずがないのです。にもかかわらず、ガザ封鎖解除が目的なのだとウソをつく。ハマスは人々によりよい生活を提供しようとしているのだとウソをつく。さらに、そのために仕方なく拉致をして人質を取ったんですよとハマスに寄り添う。
ウソを積み重ねた上で、「ガザ封鎖解除が停戦協議に盛り込まれるか次第で、ガザの将来が明るくなる可能性もないとはいえない」という意味不明な「お気持ち」を述べる。
番組アンカーである反町理《そりまちおさむ》氏は、江崎氏の主張に「ほう、ほう」などと言って納得し、こう発言します。

反町（番組アンカー）「それをイスラエルが飲む可能性もありますか？　ぼく、今日の話を聞いていると、全くそういう希望を感じられないんですけど、いかがですか？」

反町氏は、江崎氏の主張、つまり、ガザ封鎖解除が停戦協議に盛り込まれれば、ガザの未来は明るいという見通しに賛成、共感し、でも、あのイスラエルというしょうもない国家は、それには賛成しなそうですよね、と言っている。
彼のスタンスは明白です。そしてそれが、番組視聴者にも共有されている。これに対し、江崎氏はこう答えます。

江崎「しかしながら押さえつけてきて、こう、手綱を締めてきたことが、イスラエルの安全につながっているかというと、そうではない側面があるわけで、もちろん政治判断ですけれど、そこをイスラエルは再検討してもいいのではないかと思います」

江﨑氏はイスラエルがハマスを押さえつけなければ安全になる、と主張しているわけです。イスラエル殲滅を掲げ、ユダヤ人を全員殺す、イスラエルという国家を地図上から消し去り、そこにイスラム国家を建設すると明言し、せっせとテロを実行し、イスラエル人をどんどん殺すハマスを押さえつけなければ、どうやって安全になるというのか？

繰り返します。ハマスの辞書に対話や和平という文字はありません。テロ一択です。彼らは、それを「抵抗（レジスタンス）」という言葉で美化し、世界の「リベラル」勢力に訴えかける。これはテロではない、占領に対する抵抗なのだ、と。

江﨑氏のような中東研究者は、ずらりと全員が、それに寄り添う。メディアもそうです。戦争反対、対話による解決をと言いながら、なぜか「抵抗」を掲げてテロをするハマスのようなイスラム過激派は擁護する。

理由は明白です。彼らが今ある世界の秩序、日本という枠組みを破壊したいという仄暗い願望を抱いているからです。彼らは、テロリストが跋扈《ばっこ》し、安全な生活を破壊する、そんな世界の到来を期待している。

彼らは、世界は腐敗している、日本は差別と格差に塗れたオワコンだ、日本なんて死ねばいいという、そういうイデオロギーを共有している。だから、その希望をテロリストに託し、テロリストを擁護することでその活動に貢献しているのです。

なお、当該番組はユーチューブでも公開されていますが、この質疑のやり取りはユーチューブでは公開されていません。

（2023年10月23日）

国際政治学者の「イスラエルの作戦は占領政策」の矛盾

国際政治学者という方々が、全世界の森羅万象について論じる立場にあるのかどうかは、私にはわかりません。

10月7日にイスラム過激派テロ組織ハマスがイスラエルの民間人を標的にした大規模テロを実行した後、支離滅裂で意味不明な発信をしている国際政治学者が散見されます。

たとえば国際政治学者で平和構築を専門にしている篠田英朗氏は、イスラエルに住む女性の「なぜガザには食料もないというのにミサイルはあんなにあるのか」というポストに対し、こう述べています。

〈申し訳ないけど、答えは、「占領されているから」。〉（@ShinodaHideaki　2023年10月18日）

「占領されている」のでガザには食料はないけれど武器はある、と彼は断言しています。お前は知らないけれど知者であるオレが教えてやろうという上から目線です。

では、占領しているのは誰でしょう？　彼が含意しているのはイスラエルです。彼が「占領」という言葉をイスラエルとだけ結びつけて用いていることは、彼の他のポストからも明らかです。

〈10月7日の時点で言えたことはすでに言えなくなっており、イスラエルが一連の軍事行動を、実態として占領政策の一環として行っていることは客観的にすでに自明だと私が考えているが、地上戦が始まると、そしてその後に、ますます明らかになる、というのは確かだろう。〉（同10月20日）

イスラエルがガザを占領している。だから、ガザには食料はないのに武器はたくさんあるのだと、篠田氏はこう言っている。意味不明なロジックです。何の答えにもなっていない。ただ心情的に、イスラエルが悪いんだ、全部占領のせいなんだという、そういうやけっぱちを、学者という立場から無知な一般人に一方的に投げつけたにすぎない。

しかも、この認識は間違っています。イスラエルは２００５年にガザから撤退しました。ガザはイスラエルによって占領されていないのです。

しかも、篠田氏は自己矛盾しています。ガザはイスラエルによって占領されている、だからガザには食料はないけれど武器はたくさんあるのだと主張しておいて、その後に、「イスラエルの軍事行動は占領政策の一環であることが自明」と言ってしまっている。

もし、ガザが今、すでにイスラエルによって占領されているならば、イスラエルは今からガザを占領する必要などありません。というか、そもそもガザはイスラエルによって占領されていない。全く意味不明の相矛盾する主張を展開している理由は、彼が固定しているポストを見るとなんとなく理解できます。

〈I love Gaza.〉(同10月10日)

なるほど、そうですか、としか言いようがない。アイラブガザでもなんでもいいのです。この人がガザをどれほど愛しているか、そんなことはどうでもいい。

しかし、ガザはイスラエルに占領されていませんし、イスラエルの軍事作戦はハマス掃討作戦であって、ガザを占領するための作戦ではありません。これをイスラエルの占領政策の一環だと、仮にも国際政治学者にして大学教授という肩書きの人間が断言すれば、少なからぬ人々に影響を与えるわけです。

なるほど、やはりイスラエルはガザを占領するつもりなのか、偉い先生がおっしゃっているから間違いない、となるのです。これは悪質な印象操作です。

それに、ガザを愛しているならば、緑豊かな土地だったガザを軍事基地に改造し、住宅地の真ん中にロケットランチャーを設置し、学校を武器庫に、病院を司令本部にして住民を盾にとって、自分たちは地下トンネルに逃げ込んでいるハマスを批判すべきです。

それなのに彼は、占領が！　イスラエルが！　とだけ主張する。

彼は、ガザを愛してなどいないのだと思います。彼は、占領を批判し占領者イスラエルを敵視する自分を愛しているのでしょう。義憤に駆られ、弱者である虐げられたパレスチナ人の側に立ち、強者である占領者イスラエルをＳＮＳで攻めることにより、心情的には「抵抗運動」に参加しているのでしょう。いや、もちろんこれは私の単なる個人的な感想です。

また、同じく国際政治学者の東野篤子氏が、毎日新聞の「やられたら何十倍返し　イスラエルの徹底的な報復戦略」（鈴木英生、２０２３年10月22日）という記事について、〈イスラエルの理屈が非常によく分かる、まさに今読むべきインタビュー。とても勉強になりました。頭が整理されると同時に、激しい絶望感が押し寄せる記事でもあります。〉（@AtsukoHigashino　２０２３年10月23日）

とポストしていたので、記事を読んでみました。

見出しからして、イスラエルは悪辣な国だ、残虐非道な報復国家だという印象操作があまりにもあからさまです。

内容もこれまたとんでもなくひどい。

「イスラエルの政治と安全保障が専門の池田明史・東洋英和女学院大前学長」なる人物が、

「(イスラエルは)やられたら何十倍にしてやり返す」

「ガザ地区への空爆や侵攻は芝の手入れのようなもので、現状維持の必要コスト」

「敵戦闘員と民間人の厳密な区別は難しいし、イスラエル軍はさほど区別する必要もないと思っている」

等々と述べています。

特に問題なのは、イスラエルは戦闘員と民間人を区別する必要はないと思っている、という断定です。これはウソです。イスラエルはガザに軍事作戦を実施する前には、必ず、ガザの住民に通知をし、退避するよう促しています。これはイスラエルの法であり、また、軍事作戦の際に民間人の巻き込みによる犠牲を最小限にすることを求める国際法に準じた措置でもあります。

今回もイスラエルは、ガザ住民に対して何度も、いろいろな形で退避を促し、避難路も設定してきました。

ところが、池田氏はそもそもイスラエルは戦闘員と民間人を区別する必要がないと思っているんだと決めつけている。

事情を知らない人は、ああ、この偉い専門家の先生がこうおっしゃっているのだから、やはりイスラエルというのは民間人を大虐殺する恐ろしい国なのだ、と思い込む。その一人が、国際政治学者の東野氏だ、というわけです。

ここで少しでも、「あれ？　イスラエルは民間人に退避を促していたのではなかったか？」という事実に思い当たりさえすれば、池田氏の主張を無批判に鵜呑みにするはずはないのです。ところが、元々「強者イスラエルは悪人なので批判すべき」「弱者パレスチナは絶対的な善人であり寄り添うべき」という思い込みがあると、そこにこの池田氏のウソはすっぽりとハマる。やっぱりそうよねー、となるわけです。

こうなってくると、もうイスラエルが民間人に退避を促したという事実は目に入らなくなる。目に入っても、脳を素通りしたり、あるいはあれは単なるアリバイ作りなんだと理解する。そして、「イスラエルは残虐な侵略者」という思い込みを強化する情報だけが目に入り、その思い込みが強化される。

池田氏は、次のようにも言っています。

〈国際人道法などを守ろうとするポーズは見せるが、その優先順位は作戦目的の達成よりずっと低い。さらに、イスラエルを非難する国連や人権団体などは、ハマスに利用されているだけの存在だとみなしている。〉

イスラエルは国際法に従い、民間人が巻き込まれて被害に遭うことを最小限にすべく、あらかじめ作戦を予告し、退避を促しています。イスラエルは国際法に従い、ハマスの軍事拠点や武器庫、情報拠点といったインフラを攻撃対象としています。

民間人の上に雨霰《あられ》の如く爆弾を降らせ、民間人を無差別に大量に虐殺しているというのは、デマであり悪質な印象操作です。

東京大学教授の池内恵氏も2023年10月28日、インターネットの『国際政治チャンネル』という番組内で、「1300人殺されてるから、じゃあ1万人、1万5000人くらいいいですか？　っていう、まあ、すごいグロテスクな言葉でWindow of Legitimacyっていう言葉が出て（笑）、イスラエル側から出てきて、オオッ！　って。やっぱり彼らすごい概念使うの得意な人たちなんですけど、だからグロテスクなんですよね」と「解説」し、共演した東野篤子氏、小泉悠氏（東大専任講師）、伊藤融氏（防衛大教授）の三人は神妙な顔をしてうなずいていました。

イスラエルは、Window of Legitimacy（正当性の窓）というグロテスクな概念を用いてパレスチナの民間人大虐殺を正当化するグロテスクな国なのだというわけですが、イスラエルでこのような概念がそのような用途で一般的に用いられているという事実はありません。

これは、典型的な詭弁の一種、藁人形（ストローマン）論法です。藁人形論法というのは、ありもしない事実をでっちあげ、でっちあげた事実を批判することです。

池内氏は、詭弁を弄してまでイスラエルにグロテスクというレッテルを貼り、中東を専門とはしない他の国際政治学者たちを洗脳している。池内氏は、10月8日の「フォーサイト」への寄稿で、「イスラエルは（略）孤立感と失望を抱えたまま、ガザへの大規模攻撃に踏み込む。攻撃をもたらした対外関係の認識の不全と攻撃に対する脆弱さを曝け出したイスラエル社会の側の問題に対しても、やがては『魂の問い直し』を向けざるを得ない」と、仰々しい物言いでイスラエルを嘲りました。訳知り顔をして、加害者のハマスではなく被害者のイスラエルを非難する。これが日本の中東研究の「第一人者」の実像です。

現代イスラム研究センター理事長の宮田律という人物は、自身のｎｏｔｅの「ガザ空爆の非情―ハマスの戦意をそぐために行われる空爆は市民の犠牲を伴い、戦争犯罪でしかない」（２０２３年10月15日）という記事で、イスラエルのガザ空爆は東京大空襲よりひどいとイスラエルを非難しました。

イスラエルが民間人を退避させ、軍事的標的を攻撃していることなど、みなさん、全く目に入らない。全く関係ない、しかも使用している武器も戦略も対象も場所も全く違う東京大空襲をわざわざ持ち出し、日本人に対し、イスラエルはほんとうにとんでもないジェノサイド国家なのだと印象付けようと躍起になっている。

国際政治学やら軍事やら安全保障やら、そういった狭い世界のサークルのみなさんが、みんな揃って、中東研究村の「イスラエルは悪」「イスラエルはグロテスク」「パレスチナは正義」という決めつけを丸呑みし、批判的検証も事実の確認も全くないまま、思い込みを強化し続け、その思い込みを発信して一般人に影響を与える。篠田氏、東野氏、池田氏、小泉氏らは皆、池内氏が代表を務めるＲＯＬＥＳという「シンクタンク」のメンバーでもあります。ＲＯＬＥＳは、外務省の補助金でプロジェクトを運営しています。

（２０２３年10月29日）

極左の前衛ハマスを擁護する国際政治学者たち

私は、日本の国際政治学者や安全保障の専門家が、ロシアのウクライナ侵攻について客観的な分析をし、それをテレビや新聞も報じたのを見て、彼らは中東研究者のようなバイアスのかかっていない人たちなのかと思っていました。

ところが残念ながら違った。イスラエル政府はウソつきだとレッテルを貼り、〈「Stand with Gaza」と言う人物を迫害することによって、「ハマスとガザの市民を区別している」という言説を自ら全否定するイスラエル政府。そして、イスラエル政府は最初から欧米諸国向けの嘘の言葉を戦術的に並べているだけだ、という世界の多くの人々が抱いている印象は、いっそう強化されていく。〉（篠田英朗 @ShinodaHideaki ２０２３年10月23日）

「親イスラエル」なる集団をバカにし、
〈やる気一つで乗り切る気概は驚きに値するが、とはいえあまりにも多くの世界中の人々を非難しなければならず、親イスラエル派の方々も多忙を極めている最中。〉（同10月26日）
　アメリカが衰退していると嘆き、
〈ここのところの最近の数週間ほど、アメリカの衰退を確信したときは、今までの私の人生にはなかったかな。出口がない。〉（同）
　中国がまともだと称賛する。
〈中国政府の安保理での発言あまりに普通でヤバい。〉（同）
　日本がG7と横並びにイスラエルの自衛権を支持したら、アメリカが対テロ戦争だといってイランとの戦争をはじめる、その時、確実に日本は見捨てられる、だから日本はイスラエルの自衛権を支持すべきではない、イスラエルの自衛権を支持しないことこそが国益だ、という謎理論を展開したり、
〈あとさあ、言いたくないんだけど、もしここで米国が、対テロ戦争だと言って、イスラエルの右派か、あるいは米国内の右派に押されて対イラン開戦したら、おそらく米国は中国に接近するよ…三方面作戦はできないからね。その時切られるのは日本だよ。本当に、馬鹿に煽られて国論誤るなよ。〉（池内恵 @chutoislam　2023年10月24日）

だから、日本はイランと仲良くすべきだ、それが日本の安全保障だと言ったりしている。〈世界中の国はアメリカに梯子外され慣れているから、むしろ信じ切って頼り切っていた日本人を不思議がるのでは。こんな流れにならないことを祈るが、馬鹿が間違って尻馬に乗ってイラン叩けとか言い出して結果としてイラン戦争になった場合、日本の安全保障は極めて困難になるよ。〉（同10月27日）

はっきり申し上げますが、日本がいくら「イランは日本の友好国」「伝統的友好関係」とか言おうと、そんなものは、これまでアメリカとイランの関係を良くしたことなど一度もありません。

アメリカがイランと戦わなければならないと決めた時、日本がイランを伝統的友好国だ云々と言っているということが、その開戦を踏みとどまらせる要素になるわけがない。

実際に今も、ホルムズ海峡やペルシャ湾では、イランのドローンが外国籍のタンカーを次々攻撃している。イラン勢力による米軍に対する攻撃も強化されている。

日本とイランの友好関係など、これらを何一つ止めることはできていない。要するに、何の役にも立っていないのは明白です。

米国の元国務長官マイク・ポンペオ氏は自身の回顧録*Never Give an Inch*で、「友人」だった安倍晋三元首相について、「会う人すべてに誠実な対話者として信頼され、我々のチームとも深く強い関係を築いている」「イランを説得するのに、世界の指導者の中で最も有利な立場にある」と考えていたと述べています。

2019年当時、安倍氏は中東に石油を依存する日本の首相として、アメリカとイランの関係がこれ以上悪化することを大いに懸念し、自分が両国を仲介したいと思っていた。

ある日、安倍氏から電話連絡を受け、イラン訪問について相談されたポンペオ氏は、仲介してくれるのは嬉しいが、（トランプ）大統領がイランの要求に屈服する確率はゼロに等しい、と伝えた。そして、こう続けます。

「2019年6月、安倍首相は自らを仲介者として示すための友好的使命をもって、イランを訪問した。日本の首相がイランを訪問するのは1978年以来初めてのことだった。イランはまさにその日、オマーン湾で日本の船（日本企業が所有・運航していた）を攻撃することによって、安倍首相に『感謝』した。安倍首相はすぐに合意の仲介をやめ、私の制止サインを無視したことを謝罪した。彼はアーヤトッラー（イラン最高指導者）に対し、宥和政策はうまくいかないことを学んだのだ」

ポンペオ氏は、「安倍は全力を尽くした」と評価しています。あの安倍氏をもってしても、日本はイランとアメリカの仲介役を果たすことなどできなかった。むしろ、日本はイランから「攻撃」という報いを受けた。日本がすがりつくイランとの伝統的友好関係など、外交儀礼上のお世辞ですらなく、日本はイランにとって、軽く攻撃して侮っても支障のない敵国アメリカの最弱同盟国としか思われていないことが証明されたのです。

イランとの伝統的友好関係が日本のエネルギー安全保障に資するとか、日本はG7で唯一イランと友好関係を持つ国としてイランと他国を仲介できるとかいう言説は、すべてウソです。安倍氏のイラン訪問時の一件が、その証拠です。

ところが、「専門家」も外務省も政府も、この一件がなかったかのように、今も「イランは伝統的親日国」云々と主張し続けている。日本はウソに立脚した外交をやるので失敗する。当たり前です。

イランの現実を日本が誰も知らないからこそ、日本の「専門家」は日本人に対して大ウソをつく。おまえらはバカなのだと上から罵倒し、オレたちインテリの言う通りにしておけばいいんだとせせら笑う。一般庶民をバカにしているのです。かつての進歩的知識人のインテリ仕草、そのものです。自分が「東大教授」だという、その権威を笠に着た、完全なるマウンティングです。

そしてそこには、ちっぽけな利権もあるのでしょう。東大教授というポストや、天下り先の確保、国からの研究費助成、外務省からの補助金、政治家とのパイプ、メディアとの関係などなど。これが令和の日本のアカデミアの実態です。彼らは、彼らがバカにする一般庶民の納めた税金で養われているという自覚もない。

　こうして日本の一般民衆は、インテリとマスコミによって間違った方に導かれる。日本国は時代錯誤で現実から乖離した愚かな外交を続け、国益を毀損《きそん》し続ける。実に残念です。

（２０２３年10月27日）

ＴＢＳ『サンデーモーニング』のウソ報道を暴く

　ＴＢＳ『サンデーモーニング』が11月５日、ハマスの指導者ハーリド・マシュアルがいかにも贅沢なセレブ生活を送っているかのような写真は、「生成ＡＩで作られたフェイク画像」だと報じました。

　これはウソです。フェイクはＴＢＳの報道の方です。

　そこに挙げられていた写真のうち、たとえばマシュアルが卓球でスマッシュを決めているものや、ジムで運動しているものは、２０１３年から出回っています。エジプトの国営新聞、アハラームの２０１３年３月３日の記事では、ハマスの指導者マシュアルが運動着を着て卓球をやる写真が初めて出てきた！　と報じています。

　というか、私はこの時エジプトにいたので、微妙にこのニュースを覚えています。実は、このマシュアルの写真はハマス自身が公開したものであり、当時一部で流布していたマシュアル病気説を払拭するためではないかと言われていました。

ちなみに、このスマッシュを決めるかっちょいいマシュアルの写真がAIによって生成されたものなのかどうかチェックしてもらったところ、フェイクの可能性は0パーセントとのことでした。

また、マシュアルが食事をしている写真については、2012年にすでにオンライン上に掲載されています。ツイッター(現X)でもシェアされている。2014年のあるツイートは、マシュアルが食事をしているのはカタールの首都ドーハにあるシェラトン・ホテルだと説明しています。また、別のツイートは、食事中や運動中のマシュアルの写真を示し、ガザでは子供が死んでいるのにいいご身分ですこと、と皮肉っている。

ちなみに、この写真も生成AIによるフェイクかどうかを診断してもらったところ、フェイクの確率は0パーセントだそうです。

プライベートジェットの写真についても2014年にはすでに掲載されています。こちらも診断してもらったところ、フェイクの可能性は0だとのことです。

これを堂々と「フェイク画像」と全国放送してしまったのがTBS『サンデーモーニング』です。マシュアルやハニーヤといったハマス指導者連中がカタールやトルコで贅沢三昧セレブ生活を送っていることなど、中東の常識中の常識です。にもかかわらず、なぜ、『サンデーモーニング』はこの写真をフェイクだと断定してしまったのか？

理由として考えられるのは、一つは、ＴＢＳ『サンデーモーニング』を制作している人たちが、本格的に完全に中東のド素人であり、というか、中東についてわずかでも素養のある人すら一人もいないから、という可能性です。

もう一つは、とにかくハマスというのを「弱者パレスチナのために命を張って戦う清貧の正義の戦士」だと思い込みたい。視聴者にそう印象付けたいから、という可能性です。これは、東大特任准教授・鈴木啓之氏がＮＨＫや朝日新聞で広めている「ハマスは福祉団体」説ともつながってくる。

だから、ハマス指導者が海外で贅沢三昧セレブ生活、などということになると、彼らは困るわけです。なんで指導者がこんな金持ちなのに、ガザの人々は食うに困るような貧困状態なのか？　となると、ＴＢＳのストーリーが崩壊してしまう。これは困る。

それで、こんな写真はフェイクだ、彼らは貧しさに耐えて頑張ってるんだ！　という謎の印象操作をしようとしているのではないか、と考えられます。実に愚かですね。

自分のイデオロギーに都合のいいように事実をねじ曲げる。都合の悪い写真はフェイクだ、捏造だと言って否定する。

それでいて、ＴＢＳは須賀川拓記者の主演、監督映画『戦場記者』のメインイメージに、事故現場写真を使って平気な顔をしているわけです。要するに彼らは事故現場写真を戦場だと偽造した。

TBSは先日も、『クレイジージャーニー』という番組で、須賀川氏が「イスラム国」に潜入したかのような番宣をし、実際は潜入していないことがバレて謝罪していました。

TBSはウソ、フェイク、デマ製造放送局です。

（2023年11月7日）

［追記］本記事の執筆と、私が自身のユーチューブチャンネルでこの問題を取り上げ批判した後、TBSは番組の「誤り」を認め、ウェブサイトに「11月5日放送について お詫びと訂正」という謝罪コメントを掲載し、11月12日の放送でも謝罪しました。

あまりに偏ったNHKイスラエル嫌悪報道

NHKが「【7日詳細】イスラエル ハマス 双方の死者1万1000人超」（2023年11月7日）という記事を出しています。一見すると、イスラエルの戦争を詳しく、客観的に伝える記事のようですが、実態は全く異なります。あまりにも偏向しています。

どこがどう偏向しているか、以下、具体的に問題を指摘していきます。

〈NHK「パレスチナのイスラム組織ハマスが奇襲攻撃を行い、報復としてイスラエル軍がガザ地区への軍事作戦を開始してから7日で1か月です。」〉

↓　ハマスは「イスラム組織」ではない。イスラム過激派テロ組織である。そもそも、イスラム組織とは何か？「イスラム」と付いているとイスラム教やイスラム教徒に対して失礼だからといって、「イスラム国」をわざわざ名称変更して「IS」と呼ぶことにしたのに、なぜ、「全世界をイスラム支配下に置くという目標達成のためにジハードという名のテロを続ける」という「イスラム国」と同じイデオロギーを掲げ、「イスラム国」より残虐な民間人虐殺を行っているハマスのことは平気で「イスラム組織」と呼ぶのか？

↓　ハマスが10月7日にやったのは「奇襲攻撃」ではない。民間人を標的とした卑劣な無差別大量虐殺テロだ。なぜテロと呼ばず、ハマスの攻撃の卑劣さを糊塗し矮小化する表現を用いるのか？

↓　なぜイスラエルの軍事作戦に「報復」という言葉を加え、イスラエルが「やり返している」という印象や、テロ組織ハマスと主権国家イスラエルが対等であるかのように記しているのか？

〈NHK「双方の死者は1万1000人を超え、今後さらに増えることが懸念されます。」〉

↓　なぜテロ組織ハマスの無差別テロの犠牲者と、イスラエルの軍事作戦の巻き込みによる死者およびハマスのテロリストの死者を合わせて一緒にカウントしているのか？

〈NHK「国連のグテーレス事務総長は6日、ニューヨークの国連本部で記者会見し『ガザの悪夢は人類の危機だ』と述べた上で、人道目的での停戦を強く訴えました。」〉

↓　なぜ悪夢をガザだけに限定するグテーレスの発言を強調するのか？　なぜガザに軍事作戦をするイスラエルが人道に反しているかのような書き方をし、そのような印象を読者に与えようとするのか？　なぜハマスに１２００人以上惨殺され、２００人以上拉致されたイスラエルの悪夢には言及しないのか？　なぜイスラエルだけが一方的に加害者で、ガザだけが一方的に被害者であるかのような書き方をするのか？

〈NHK「イスラエル軍はガザ地区の住民に南部への退避を通告した上で、地上部隊を進めて最大の都市ガザ市を包囲し、11月5日にはガザ地区を軍事的に南北に分断したと発表しました。

イスラエル軍はハマスの拠点を破壊するためだとして、病院の周辺や人口が特に密集している難民キャンプなどへの攻撃を続け、多くの市民が犠牲になっています。

ガザ地区の当局によりますと、6日にも小児科の病院などに攻撃が行われあわせて8人が死亡したとしています。」〉

↓　これではイスラエルが住民に退避を呼びかけたと言っているのは単なる「言い訳」「方便」であり、実際には病院や難民キャンプを無差別に空爆し、市民を大量虐殺している、という印象だけを読者に与える。これは事実とあまりにも異なっている。イスラエルは数百万回の電話とショートメール、数百万枚のビラによって何度も退避を要請、退避ルートも確保し、退避のために作戦決行を数週間遅らせてきた。

↓　病院や難民キャンプは、ハマスの拠点、インフラとして利用され、ガザ住民はハマスに盾として利用されている。病院を軍事拠点として利用するのは国際法違反である。また、国際人道法の一環であるジュネーブ条約第４条第19項は、文民病院が人道的目的を逸脱し、敵を害する目的で使用された場合は、合理的な期限を定めて正当な警告が発せられ、かつその警告が無視された場合、その病院の保護は停止される、と規定している。

↓　そもそも「難民キャンプ」というのは、命からがら紛争から逃げてきた難民が着の身着のままで一時的に身を寄せている場所のような印象だが、ここはれっきとした町であり、人々はここで生まれここに定住している。難民キャンプという名前にしているのは、そうすればそこで国連パレスチナ難民救済事業機関（ＵＮＲＷＡ）がサービスを提供し、国際支援を享受し、さらに世界に向けて「ガザの人々はかわいそう」というイメージを強化して同情させ、さらにはＮＨＫのように、「難民キャンプが空爆された！　イスラエルはなんてひどい国なんだ！」と愚かに偏向した報道をするメディアを呼び込むためである。ハマスは「難民キャンプ」を利用しているのだ。

↓しかも、ハマスは「難民キャンプ」に住む人々は国連が守り、サービスを提供しなければならない、と責任転嫁し、一方では「パレスチナ人は皆、自ら進んで、パレスチナのために命を捧げるのだ」といって彼らを「盾」に利用し、自らは地下トンネルに身を隠して安全を確保している。

↓「ガザ地区の当局によりますと、6日にも小児科の病院などに攻撃が行われあわせて8人が死亡したとしています」とあるが、「ガザ地区の当局」とはすなわちハマスである。ハマスは「我々は民間人を標的にしていない」などと平気でウソをつくテロ組織である。常にウソをつくテロ組織を「ガザ当局」などと呼んで、あたかも「人道的で立派ないい人たち」であるかのように粉飾し、その発表が真実であるかのように無批判に垂れ流し、それによって「イスラエルは子供を平気で虐殺するジェノサイド国家だ！」という印象を強化するのは、実に悪質である。

ＮＨＫ記事はまだまだ続きます。すべての文章がことごとく偏向している。そのすべてが「かわいそうなガザ」／「ジェノサイド国家イスラエル」の非対称性を強化している。

日本のメディアがNHKのような極度に偏向した報道をしているからこそ、イスラエル大使館の前には「ジェノサイドやめて」とか「ガザへの攻撃をやめて」とか、「ガザ大虐殺」とか「殺すな」とか、イスラエルを一方的に悪であると決めつけた人々が大量に集結し、悪であるイスラエルを「ジェノサイド！」と非難し、イスラエルの暴走を止めることこそが「正義」であると勘違いする人々が大量生産されている。10月20日には、イスラエル大使館前で行われていたデモで、警備にあたっていた機動隊の隊員に暴行を加えた中核派の男が逮捕されました。

私は、メディア関係者からも「イスラエルはパレスチナ人を皆殺しにして、パレスチナを占領しようとしているんですよね？」といった「質問」を頻繁に受けます。何がどうなって、人々がこのようにとてつもなく現実乖離した「理解」を持つに至ったのか？

偏向メディア、偏向解説が社会を歪めている。文字通り、人々の思考を、正義の意識を、道徳観を、メディアと「専門家」が自由自在に操り、歪めている。

そのすべてがテロ組織ハマスに利益をもたらし、日本を混乱させ、日本を弱体化させ、日本を孤立化させているのです。

（２０２３年11月８日）

「ハマスはボランティア団体」というウソを広めるテレビ朝日

テレビ朝日が11月25日『池上彰のニュースそうだったのか!!』という番組で、「ハマスはもともとボランティア団体」だと放送していました。

次のようなナレーションから始まります。

〈緊張状態が続くイスラエルとハマス。

ハマスはロケット弾を撃ち込んだり、多くの人質を取ったりと過激なことをしているって言われてるけど……、ハマスはもともと……、ボランティア団体だった！〉

ここでスタジオにいる松村沙友理という女性と高畑淳子という女性が大きな口を開けて驚いている姿が映し出される。

ナレーションが続きます。

〈パレスチナ人が住むガザ地区を実効支配するハマスは、アメリカなどからテロ組織に認定されているけど、元々は貧しい住民のために手助けするチームで、民衆のヒーロー的存在だった!?〉

冒頭からスタジオや視聴者に対し、「ハマスはテロ組織じゃない、ヒーローなんだ、かわいそうなパレスチナ人を助けてきたんだ」と印象付けているわけです。

そんなことを言うならば、どんな凶悪犯罪者だって、生まれた時は無辜な赤ちゃんです。

オウム真理教はヨガ団体だったし、今も名を変えヨガ団体をやっている。「だから、何?」という話です。テロをやったら、それは咎められて然るべきです。しかし、テレビ朝日と池上彰氏は、ハマスを咎める代わりに擁護する。正当化する。この時点ですでにアウトです。

これに続いて池上彰氏がこう言います。

〈結局あんな過激なことやってるのに、パレスチナの人たちにそこそこ支持を得ているってのはなぜかってことなんですね。

このハマスの母体というのは、1970年代から、イスラム教徒の貧困救済という様々な社会事業を行っていたんですね。パレスチナの貧しい人たちを救いましょうってことで、たとえば学校を作ったり、病院を作ったり、あるいは託児所を作ったり、あるいはスポーツクラブを作ったりというかたちで、あるいは貧困層に食料を配ったりということをしていたんですね。だから、それによって、ハマスというのはパレスチナの人たちの絶大な支持を得ていたんですよ。元々はそういう支持基盤があったんですね。〉

ナレーションが入ります。

〈貧しい人たちを守るハマスが、どうして過激な組織になってしまったのか?〉

池上氏が続きます。

〈今はオスロ合意というのができて、ヨルダン川西岸とガザ地区は、パレスチナの人たちが自治が認められてるでしょ。それが当時（字幕＝1980年代当時）、まだパレスチナもイスラエルが全部占領していたんですよ。そうすると、パレスチナの人たちがイスラエルの占領に対して抵抗運動を起こすんですね。それが「インティファーダ」。〉
〈この時に、武器を持っているイスラエルに対して、投石、石を投げて抗議行動するということが始まるんですね。大規模なイスラエルの占領に対する抗議行動が盛り上がるんですよ。
こうなると、福祉活動だけではだめだ、やっぱり実力部隊、武力を持たなくてはいけないんだ、と考えたハマスが、軍事部門を持つようになり、それが軍事組織になり、やがてテロを起こすような組織になっていったということですね。〉
これは、論点ずらし、印象操作により、スタジオにいる「芸能人」たちと視聴者をウソで洗脳する、極めて悪質な番組です。
ハマスは、10月7日にイスラエルの民間人を標的に大規模テロをやり、1200人を惨殺した。これがそもそもの問題の発端です。
ところが、池上氏は論点をずらす。「いや、そもそもハマスはテロ組織じゃなくて福祉団体だったんだ」と言い出す。
これは、かつて旧ソ連の独裁者スターリンが死んだ時、朝日小学生新聞がスターリンを「子供ずきなおじさん」と評価し、スターリンは「いい人」だったと子供を洗脳しようとしたのと同じです。

しかも、「スターリンは子供ずきなおじさん」で知られる朝日小学生新聞は、この池上氏の「ハマスは福祉団体」説のネタ元である鈴木啓之・東大特任准教授の「ハマスは福祉団体」説も掲載しています（２０２３年10月24日）。

無知な一般人と子供に向けて、「正しい知識」を教えるという体裁で自分たちに都合のいいプロパガンダ、つまり、「悪者だとされている人は本当はいい人なんだ」というプロパガンダを吹き込み、洗脳する。これを朝日新聞とテレビ朝日と東大特任准教授と池上彰氏が組んでやっている。これがマスメディアの洗脳の現実です。

この番組は、無知なスタジオ出演者が池上先生にものを教わるという体裁ですから、ハマスはテロリストじゃなくていい人たちなんだ、と理解することが「いい生徒」の証となります。誰一人、それに反論したりしない。これが番組の既定路線です。筋書きは最初から決まっている。

この番組は、池上氏が視聴者を思うがままに洗脳することのできる舞台装置です。

池上氏は、ハマスをテロ組織から福祉団体、悪者から正義の味方へとすり替えた上で、その「いい人」たちだったハマスが過激行動をするようになったのは、イスラエルの占領のせいなんだと主張する。池上氏は被害者と加害者を逆転させたわけです。

そもそもは、ハマスが加害者でイスラエルが被害者だったはずなのに、池上氏の詭弁により、イスラエルが加害者でハマスが被害者だということにすり替わっている。

視聴者に、「なんだ、元々はイスラエルが悪いんじゃないか」と思わせれば、池上氏のプロパガンダは成功です。

彼はそのために「占領」という言葉を持ち出し、1980年代へと時代を遡り、イスラエルが占領したからハマスは武装せざるをえなかったんだと主張する。

これはウソです。池上氏のようなプロパガンダをする人間は、自分の主張に都合のいいところまで歴史を遡り、なおかつ、歴史を捏造するのが通例です。

ハマスが結成されたのは1987年12月で、これは第一次インティファーダの開始と同時です。つまり、ハマスはインティファーダに際して結成宣言がなされた。

ハマスは、「ムスリム同胞団の一翼」であると自ら「ハマス憲章」に謳っていますが、ムスリム同胞団は、ハマス結成以前からパレスチナで「武装闘争」、つまりテロ活動をやっていました。ハマスは、ハマスになる前から軍事組織だったのです。

ハマス設立者のアフマド・ヤシンは、ハマス結成前の1982年から、同胞団の資金を得て武装を開始し、1984年には秘密裏に武器を備蓄していた罪でイスラエルに逮捕され、投獄されました。

ハマスは最初、福祉団体だったのに、イスラエルに追い詰められて仕方なく武装した、などというのは大ウソです。

１９８８年に発表された「ハマス憲章」では、ハマスがイスラエル殲滅を目標としていること、交渉による解決という選択肢はなく、ジハード一択であることが宣言されています。

第11条には、パレスチナはイスラム教徒のワクフ地である、つまり所有権の移転が禁じられたイスラム教徒の土地であると書かれています。要するにイスラエルという国の存在自体を認めないということです。

第13条には、パレスチナ問題の解決はジハードのみによる、と明言されています。

ハマスが学校や病院を作ったり、貧乏な人に食料を配ったりしたことがあるからといって、それはハマスの本質や、ジハードによるイスラエル殲滅という目的、そしてハマスが実際に凄惨なテロで民間人を大量虐殺したことを正当化しない。

テレビという装置を使って一般人にウソを吹き込み、加害者と被害者を逆転させ、イスラエルの方が悪でハマスはいい人たちなのだと教え込む池上氏は、中東や国際政治の「専門家」と同罪です。

（２０２３年11月27日）

第2章　日本政府の〝亡国〟中東外交

ハマスの蛮行をテロと呼ばない岸田首相の不見識

２０２３年10月7日に起こったハマスのイスラエルに対する大規模テロ攻撃に対する岸田政権の対応は遅く、場当たり的でした。加えてそこには、日本を国際的に孤立させ、国家安全保障を危うくし、日本への不信感を増幅させる問題がある。

岸田文雄首相がこれについてXで声明を出したのは、翌日の8日でした。

〈昨日、ハマス等パレスチナ武装勢力が、ガザからイスラエルを攻撃しました。罪のない一般市民に多大な被害が出ており、我が国は、これを強く非難します。御遺族に対し哀悼の意を表し、負傷者の方々に心からお見舞い申し上げます。〉（@kishida230　２０２３年10月8日）

〈多くの方々が誘拐されたと報じられており、これを強く非難するとともに、早期解放を強く求めます。また、ガザ地区においても多数の死傷者が出ていることを深刻に憂慮しており、

全ての当事者に最大限の自制を求めます。〉（同）

岸田氏はハマスの攻撃をテロと認定しなかった上に、「全ての当事者に最大限の自制を求めます」と訴えた。

このメッセージには、いくつもの大きな問題があります。まず、いみじくも自ら「昨日」と書き込んでいるように、この投稿はハマスのテロ開始の翌日の午後になって出されたものです。反応が異様に遅いのです。米英をはじめとする各国首脳は、テロ開始当日にXに声明を投稿していた。

しかも、岸田氏の投稿は、その前に出された外務報道官談話とほとんど同じでした。ですので、別に岸田氏本人のメッセージでもなんでもないのでしょう。

なお、以下が日本の外務省が10月7日に出した報道官談話です。

◎ハマス等パレスチナ武装勢力によるイスラエルへの攻撃について

1　10月7日（現地時間）、ハマス等のパレスチナ武装勢力が、ガザ地区からイスラエルに向けて多数のロケット弾を発射するとともに、イスラエル領内に越境攻撃を行ったことに対し、これを強く非難します。

2　犠牲者の御遺族に対し哀悼の意を表し、負傷者の方々に心からお見舞い申し上げます。

3　我が国は、これ以上の被害が生じないよう全ての当事者に最大限の自制を求めます。

こんな官僚の文章を1日遅れで投稿していること自体が、岸田氏の国際感覚の鈍さ、そして無関心を象徴している。

加えて岸田氏の投稿には「テロ」という文字が全くない。外務省もハマスのことを「武装勢力」だと思っているようですが、ハマスは「テロ組織」です。ハマスをテロ組織と呼ぶこともハマスの所業をテロ攻撃と呼ぶことも、岸田氏や外務省は回避したわけです。上川陽子外相も会見で、ハマスの攻撃をテロと認定せず、「全ての当事者に最大限の自制を改めて求めます」と訴えました。

アメリカでは、バイデン大統領もブリンケン国務長官も「テロ」だとはっきり繰り返し述べた。イギリスのスナク首相やクリバリー外相も「テロ」だとはっきり言っている。G7の首脳で、ハマスの蛮行を「テロ」と非難せず、「我々はイスラエルの側に立つ」とはっきり表明していないのは、日本の岸田氏だけです。

日本は、政府関係者もメディアも、どこもこれを「テロ」と呼びません。テロと呼ぶことに及び腰なわけです。なぜか。それは、テロと呼んだ瞬間、ハマスを非難することになるからでしょう。驚くべきことに日本政府は、テロ組織ハマスに忖度しているのです。

日本には、中東についての二つの間違った思い込みがあまりにも深く根付いています。

① ホルムズ海峡に面しているイランを怒らせたら石油が入ってこなくなる。
② イスラエルの肩を持つと中東諸国が怒って石油を売ってくれなくなる。

この二つはいずれもウソです。こんな現実は一切ない。

一つ目、日本がいくらイランに気を使い忖度しても、イランはホルムズ海峡で外国船を攻撃しています。今もです。だから、アメリカは湾岸の兵力を強化している。２０１９年に安倍元首相はイランとアメリカの仲介役を果たそうとイランを訪問しましたが、イランはその日、ホルムズ海峡近くのオマーン湾で日本のタンカーを攻撃しました。いくら日本がイランを伝統的友好国と呼び、友好的態度をもって接しても、イランはホルムズ海峡で敵対行為を繰り返しているし、日本のタンカーも攻撃している。これが現実です。

二つ目、これは１９７３年オイルショック当時の中東です。それからもう50年が経ち、中東情勢は当時とは全く変わっています。

日本が石油を買っている中東諸国は今、イスラエルと国交を正常化しています。サウジですら今、イスラエルと国交正常化交渉をしている。

日本が2番目に多く石油を買っているUAEに至っては、イスラエルと国交を正常化し、その後、両国間の貿易額は急増し、経済だけでなく政治・軍事においても協力が進んでいます。

日本がイスラエルに寄り添う姿勢を見せたら、中東諸国が怒って日本に石油を売ってくれなくなる、などというのは妄想も甚だしい。恐るべきことに、外務省は変遷する中東情勢を客観的に理解する代わりに、今も50年前の認識に基づく中東外交を続けているのです。

現在、中東諸国が不信を募らせているのは、日本が中東諸国にとっての最大の脅威であるイランとの友好関係をことあるごとに強調している点です。日本は、イランへの忖度が産油国の不信を呼び込んでいるという自覚すらなく、イランに忖度することが日本の国益なのだという思い込みからどうしても脱却できないままでいる。これを「バランス外交」と誇っているわけですから、つける薬もない。

イランは日本の安全保障上の脅威である隣国三国、すなわち、中国、ロシア、北朝鮮の「同盟国」でもあります。日本がいつまでも「イランは伝統的友好国」などという妄言にすがりつき、イランに対する認識を改めないことが、日本の安全保障だけでなく、インド太平洋と台湾海峡の安全保障も危うくしているのです。

岸田氏や上川氏や外務省が、なぜイスラエルにも自制を迫る声明を出したのかはわかりません。しかし、彼らの声明の文面は、明らかにイスラエルにも自制を求める内容になっている。これは、法を重んじる民主主義国家としてあるまじき声明です。

イスラエルは主権国家です。一方、ハマスはテロ組織です。イスラエルには自衛権がある。これは国際法で認められています。ハマスにはテロをする権利などない。イスラエルの占領だの抑圧だの、どんな理由であれ、テロを正当化することはできない。歴史的背景があれば、特定の理由があれば、テロもやむなし、などと認めてしまったら、民主主義も国際秩序も崩壊します。

全当事者に自制を求める岸田声明は、イスラエルに対し自衛権を行使するなと言っているに等しい。テロに屈しろと言っているに等しいわけです。

日本はテロとは戦いません、歴史的背景がある場合にはテロも致し方ありません、何より重要なのは、エスカレーションを避け早期沈静化を図ることです、だからイスラエルも自制すべきなのです……。岸田氏はこういうメッセージを世界に向けて発信したわけです。

これは、G7の議長国としてあるまじき失言です。日本はテロと戦わないのか？　日本はハマスの蛮行をテロだと非難しないのか？　と疑われても致し方ない。

女性の人権やジェンダーギャップ、LGBT問題の時には、さかんに「G7にならえ！」

と主張する岸田政権が、なぜかテロのことになるとG7にならえとは言わず、他のG7諸国とは異なる「どっちもどっち」論に終始する。

上川氏に至っては、「また、一般の市民を含む多数の方々が、ハマス等により誘拐されたと報じられており、これを強く非難するとともに、早期の解放を強く求めます。一方、イスラエル国防軍の攻撃によりガザ地区におきまして多数の死傷者が出ていることを深刻に憂慮いたします」と言いました。

ハマスが非武装の民間人を大量虐殺したことと、イスラエル軍が民間人に退避勧告した後でハマス掃討作戦を実行し、それでも巻き添えで犠牲者が出たことを、上川氏は横並びにし対等に扱っている。

この人は、ハマスがあえて拠点を学校や病院や住宅街に置くことにより、わざと市民を巻き添えにしているのだという事実を知らないのでしょうか?

ハマスは「パレスチナ人はパレスチナ解放のために自らの血も魂も捧げるのだ」と言って憚《はばか》りません。だから、彼らはパレスチナ人をイスラエル軍の攻撃の矢面にわざわざ立たせる。パレスチナ人が死ねば死ぬほどハマスは喜んで、「イスラエルは弱者パレスチナ人を大量虐殺した!」と「ガザ保健当局」を通じて発表する。世界中のメディアが、「ガザ保健当局」の発表する、信ぴょう性の全くない「パレスチナ人の死者数」を垂れ流し、「大量虐殺国家イスラエル」の悪を非難する。それを見た一般人は、「弱者パレスチナ＝善人」「強者イスラエル＝悪人」というイメージを固め、パレスチナに寄り添い、イスラエルを非難することが「社会正義」だと認識することの中に安住する。ハマスのテロは、ここまでが1セットです。ハマスはここまで計算ずくで、テロをやっているのです。

岸田氏や上川氏が、もし、「イスラエルに寄り添うと中東諸国に石油を売ってもらえなくなる」とか、「イランを怒らせたらホルムズ海峡を封鎖される」とか、「イスラエルとハマスの双方のバランスを取るのが最善」などという理由で「どっちもどっち」スタンスをとっているのであれば、それは大きな誤解、あるいは勘違い、あるいは無知に立脚した愚行です。これは日米同盟を不安定化させ、日本だけでなく台湾やインド太平洋地域の安全保障を脅かす、亡国の愚策です。

だからこそ、TBSや朝日新聞のような反日「リベラル」メディアも岸田政権の中東外交を批判しない。反日勢力にとって、日本を孤立化させ、台湾制圧を目論む中国を利する岸田外交は都合がいいのです。

（2023年10月9日）

ＥＵがパレスチナ支援を見直す理由

日経新聞が、「ＥＵ、パレスチナ支援見直しへ　10日に緊急外相会合」（２０２３年10月10日）という記事を出しました。冒頭にはこうあります。

〈欧州連合（ＥＵ）のバルへリ欧州委員（近隣・拡大政策担当）は9日、パレスチナ自治区ガザを実効支配するイスラム組織ハマスによるイスラエルへの攻撃を受け、パレスチナ向けの支援を見直すと表明した。Ｘ（旧ツイッター）で、６億９１００万ユーロ（約１０８０億円）分の資金援助について再検討する考えを示した。〉

なぜ、それがハマス向け支援ではないにもかかわらず、ハマスのテロによってパレスチナ支援を考え直す、とＥＵが言っているかというと、実際にはハマス向けではないはずのパレスチナ支援が、いろいろな形でハマス支援、テロ支援になってしまっているのが実態だからです。

たとえば、国連パレスチナ難民救済事業機関（ＵＮＲＷＡ）は、国連の中で、パレスチナ難民支援をもっぱら行うための機関ですが、ＵＮＲＷＡは他の支援機関とは異なり、パレスチナ難民キャンプの運営自体を担い、学校や病院など９００以上の施設を運営しています。ＵＮＲＷＡは３万人という大量の職員を雇用しており、その中にはハマスのメンバーや支援者、シンパも多い。

UNRWAの学校で用いられている教科書は、イスラエル人に対する敵意に満ち溢れており、イスラエル人を攻撃することは讃えられるべきジハードであるとされ、イスラエル人を襲撃したパレスチナ人が英雄と讃えられロールモデルとして提示されている。UNRWAの学校の教師たちはSNSにテロを肯定し、称賛し、反ユダヤ主義を煽る投稿をさかんにしていることも調査で判明しています。

UNRWAの学校では、ハマスのサマーキャンプ、要するに子供向け軍事訓練キャンプの募集が行われ、地下にはハマスのトンネルが掘られ、ハマスの武器庫にもなっている。ハマスは学校をテロ拠点にし、子供を「人間の盾」にしているのです。

今もガザ地区ではUNRWAの学校が子供のシェルターになっています。そこは同時に、ハマスの武器庫であり、ハマスの拠点でもあるわけです。

イスラエルがハマスの戦闘能力を削ぐためにそこを攻撃すれば、当然子供が犠牲になる。だからこそ、ハマスはUNRWAの学校を拠点にする。そして子供が犠牲になると、「イスラエルは罪のない子供をこんなに殺した！　大量虐殺者だ！」と大騒ぎし、それを日本の朝日新聞や毎日新聞やNHKや共同通信のようなメディアが大々的に報じ、世界中に「イスラエルはパレスチナを占領し、抑圧し、罪のない子供を大量虐殺する悪」という印象が定着する。そしてなぜか、子供を「人間の盾」として利用しているハマスが、「かわいそうなパレスチナ人を守る正義の戦士」ポジションを取る。

ここまで全部含めて、ハマスの作戦です。

こんな問題があるものだから、以前からEUがUNRWAに資金提供していることは、間接的なテロ支援ではないかと問題視されてきたわけです。

このEUのパレスチナ支援見直しの中にUNRWAへの支援が含まれているのかどうかはわかりませんが、人道的であるはずのパレスチナ支援が、最終的にはテロ促進、テロ支援に帰着していることが多いという問題は、すでに明らかになって久しい。

日本はこのUNRWAの最大の支援国の一つです。毎日新聞の「UNRWA、アジア初の拠点を日本に設置へ　パレスチナ難民を支援」（2023年9月16日）という記事にあるように、これまでの支援額は10億ドル（約1470億円）を超える。この記事にあるように、近くアジア初のUNRWA拠点が日本に設置されることがわかっています。

日本には、EUのようにUNRWAで行われているテロ教育を問題視し、UNRWA支援を見直すよう迫るような論調は一切ありません。

UNRWAには汚職の問題もあります。日本では、それについてもほとんど報じられない。だから、UNRWA支援が見直されることがないわけです。UNRWAとしては、日本ほどちょろくておいしい国はありません。

私が『アベマプライム』というインターネット番組に出た時、そこで元NHKアナウンサーの堀潤という人が、日本国としては市民の人たちをどう支えるか一致団結して考えるのがすごく大切とか、日本はとにかくパレスチナの市民と連帯を云々と主張し、その中で、日本は長年、UNRWAを支援してきてすごいんだみたいなことを言っており、「出たな」と思いました。

UNRWAにカネを出すことで国際的義務を果たしている、自分たちは「弱者パレスチナ」に寄り添っていると自己満足に浸る。そういう人たちが、パレスチナ発展の足を引っ張り、ハマスを増長させてきたという、そういう側面があることを、私はこれからも伝えていきたいと思っています。

さて、先に紹介した日経新聞の記事にはこうあります。

〈バルヘリ氏は「イスラエルや市民に対するテロの規模や残虐性は転換点だ。通常通りにはできない」と強調した。EUはこれまで低所得家庭の生活支援などの名目で、パレスチナ向けに援助資金を提供してきた。

EUの外相にあたるボレル外交安全保障上級代表は同日、10日に緊急のEU外相会合を開催すると発表した。ボレル氏はハマスが野外音楽イベントの会場を襲撃したことなどを強く非難。Xに「無実の民間人を標的にすることは決して正当化できない」と投稿した。〉

欧米諸国では、ハマスの大規模テロ攻撃を受け、ハマスの残虐性は絶対に許さないという論調が強まりました。

そのことは、日本の岸田首相以外のG7首脳が、口を揃えてハマスの行為を「テロ」だと非難し、イスラエルの立場に寄り添うと宣言したことからもわかります。

そして、彼らは、ただそう宣言しただけではない。アメリカは軍事支援を開始しました。EUはパレスチナ支援を見直しはじめました。イスラエルにいる自国民を救出するための作戦を展開している国ももちろんあります。

一方、日本はどうか？

岸田首相はハマスの行為をテロだと非難することもせず、主権国家であるイスラエルに「自制」を要求する声明を出した。

在イスラエルの日本大使館は、在留邦人に電話をかけて安否確認をし、サイレンが鳴ったらシェルターに行け云々と「アドバイス」しただけです。そんなもの、イスラエルに住んでいる人なら今更言われるまでもなくみんなわかっているし、日常的に実践していることです。

日本は、テロと戦うという意思も示せない。これはつまり、岸田政権はもし日本がテロ攻撃に遭い日本国民が犠牲になっても「自制」しますという、そういう意思表示でもあるわけです。

（2023年10月10日）

パレスチナ自治政府に停戦を呼びかける岸田首相の愚行

産経新聞は「岸田首相、イスラエル・パレスチナに停戦呼びかけへ」（2023年10月10日）という記事を掲載しました。これによると、岸田氏は、「イスラエル・パレスチナに停戦を呼びかける」と言って、イスラエル政府とパレスチナ自治政府に電話しようとしているらしい。記事には次のようにあります。

〈岸田文雄首相は10日、イスラエルのネタニヤフ首相、パレスチナ自治政府のアッバス議長と近く個別に電話会談を行う方向で調整に入った。政府関係者が明らかにした。イスラエル軍とパレスチナ自治区ガザを実効支配するイスラム原理主義組織ハマスが大規模な戦闘状態に陥っていることを踏まえ、イスラエルとアラブ諸国の双方とも良好な関係を持つ日本の立ち位置を生かし、停戦を呼びかける。〉

イスラエルに大規模テロ攻撃を仕掛けたのは、パレスチナ自治政府（PA）ではありません。ハマスです。イスラエルと戦っているのもパレスチナ自治政府ではありません。ハマスです。

なぜ、戦いの当事者ではないパレスチナ自治政府に電話して、「停戦しろ！」と言うのでしょうか？「いや、戦ってるの、オレじゃないし……」で終了です。

というかそもそも、パレスチナ自治政府とハマスは対立関係にあります。だからこそ、ハマスはガザを武力で制圧し、ＰＡをそこから追い出した。

ハマスが狙うのは、ＰＡの立場を奪うことです。ＰＡの立場とはつまり、パレスチナの代表者としての立場です。そうすれば、世界から集まるパレスチナ支援金をハマスが握ることができる。ハマスは限りなく強欲なテロ組織です。

ハマスは今でも世界で3番目に「リッチ」なテロ組織ですが、世界からの支援金をすべて手に入れることができれば、より一層「リッチ」になれます。

ハマスのテロ攻撃には、だから二つの意味がある。一つはもちろん、イスラエルを殲滅し、そこにイスラム国家を建設するという目的実現のためです。

もう一つは、パレスチナ人をハマスのシンパにし、ＰＡに代わり、ハマスがパレスチナの代表者となり、ＰＡの利権を奪うことです。だからこそ、テロは派手にやらなければならない。彼らが残虐なテロ行為を自ら撮影して自らインターネットに載せるのは、「ユダヤ人にこれだけやってやったぞ！」とパレスチナ人に訴え、そこでパレスチナ人の支持を取り付けるためでもあるのです。

それを見て、パレスチナ人が、「そうだ、ＰＡじゃパレスチナは解放できない！　やっぱりハマスだ！　やっぱりジハードだ！」となれば、しめたものです。そのためにハマスはメディア戦略をやっている。

日本のメディアが、さかんにイスラエルを非難し、ハマスはかわいそうなパレスチナ人たちの正義の味方なんだと煽るのも、ハマスのメディア戦略に貢献しているわけです。彼らから見れば、日本のメディアは「使えるバカ」です。

話は脱線しましたが、とにかくなんで戦争していないPAに停戦しろと電話するのか、という話です。そんなものは全く意味がない。はっきりいって、これは完全に、国内向けに「外交の岸田」「国際平和に貢献している岸田」をアピールするための茶番です。

産経新聞はこれについてもう一つ「政府、イスラエル・パレスチナ双方に停戦呼びかけ首相、11日にも電話会談」（永原慎吾、2023年10月10日）という記事を出しました。

〈日本はイスラエルとパレスチナの共存共栄に向けた中長期的な取り組み「平和と繁栄の回廊」構想を主導するなど双方に持つ独自のパイプを生かし、平和的解決を目指す。〉

いや、独自のパイプなんてないですよね？　テロ攻撃をしているのはPAと敵対するハマスなのに、PAに電話するって、パイプがないことの証じゃないですか？

そして、イスラエルが赤ちゃんや子供を斬首されたり焼き殺されたりしているのに、平和的解決？　平和的解決と言えば聞こえはいいですが、これは要するに、イスラエルに対して自衛権を行使するなということです。テロに屈しろと言っているに等しい。

この岸田政権の異様な対応を、記事はこう擁護しています。

〈ただ、日本は伝統的に中立的な立場で中東情勢に向き合ってきた歴史があり、今回もＧ７の枠組みとは別に独自の対応をとる。Ｇ７各国と緊密に連携しつつも、アラブ諸国との信頼関係をテコに和平に向けた外交を展開し、国際社会の安定に寄与したい考えだ。〉

「アラブ諸国との信頼関係をテコに和平に向けた外交を展開し、国際社会の安定に寄与」？　具体的に何をどうするというのでしょう？　驚くほど全く中身がない。やはり、これは、「オレ、岸田、国際社会の平和と安定に寄与してるから」アピールとしか考えられません。

こんなものは、世界では何の役にも立ちません。単なる綺麗事で、現実性も実現性も一切ない。イスラエルが大規模テロ攻撃で存亡の危機にある時に、びっくりするほど切迫感がありません。

岸田氏のこの姿勢、つまり、内政のための「やってるフリ外交」、「独自の中立外交」は、世界でも全く評価されていない。というか、ほぼ無視されています。当然です。

産経新聞の記者が、ハマスのテロをテロだと非難しない日本政府を「伝統的に中立的な立場」と正当化したのも意味がわかりません。

岸田政権は明らかに、ハマスと、パレスチナと、アラブ諸国との関係を混同している。産経新聞の記者も混同している。

テロをやったのはハマスです。ハマスはパレスチナの代表ではなく、パレスチナの代表はパレスチナ自治政府です。そしてパレスチナ自治政府はハマスと対立関係にあります。アラブ諸国から日本は石油を買っていますが、アラブ諸国もハマスの支援者ではありません。アラブ諸国が与《くみ》しているのは「パレスチナの大義」であって、ハマスのテロではない。

アラブから石油を売ってもらえなくなったら困るから、ハマスの蛮行をテロと呼べないとか、だからイスラエルの側に立てないとか、全く意味不明です。

これについては、朝日新聞も「試されるバランス外交　岸田首相、イスラエル・パレスチナと協議調整」（高橋杏璃・長崎潤一郎、2023年10月10日）という記事を出しました。

この中で、東大先端科学技術研究センターの池内恵教授は、岸田政権の対応について、こう評価しました。

「日本としては全面的にイスラエルの報復を支援するとは言いにくい。現実的かつ適切な判断だ」

池内氏はウソをついています。G7諸国は、「イスラエルの報復を支援する」などとは言っていません。「イスラエルが自国を防衛し、最終的に平和で統合された中東地域の条件を整えられるよう、われわれは同盟国として、イスラエルの共通の友人として、結束と連携を続けていく」（ロイター2023年10月10日）と言っている。

つまり、Ｇ７が支持したのは、イスラエルの自衛権です。「報復」などという攻撃的で、反感を買うような言葉遣いはしていない。というか、「全面的にイスラエルの報復を支援する」なんて言っている国はどこにもない。

それを池内氏は、そんなこと言う必要ないんだから、岸田政権の対応は現実的ですばらしい、と言っているわけです。これは藁人形（ストローマン）論法と呼ばれる詭弁です。池内氏は誰も言っていないことを勝手に言ったかのように捏造して、それを批判している。

日本以外のＧ７諸国は、イスラエルの自衛権を支持すると明言しています。岸田声明は暗に、日本はイスラエルの自衛権を支持しないと言ったに等しい。これが、欧米とは異なる「日本独自の中立外交」として称賛されるべきものなのか。

そもそも国際社会は、日本のそんな態度など全く気づいてもいません。もっぱら、国際情勢を知らない日本国民に対し、選挙前に「外交の岸田」をアピールするためのもの以上でも以下でもなかったという、そういうことなのだと思います。

（２０２３年10月11日）

日本政府が急に「ハマスはテロ」と言い始めた理由

岸田政権は、テロ開始から5日後の10月12日になって突如、ハマスの攻撃をテロと呼ぶと発表しました。その理由として松野博一官房長官は、「多数の一般市民を標的として殺害や誘拐を行う残虐な無差別攻撃である点も踏まえ、テロ攻撃と呼称することとした」と述べました。

その事実は当初からすでに明らかであり、呼称変更の説明になっていません。テロと呼ぶかどうかを「検討」するのに5日間を要したということでしょう。

政府の方針転換の背景にあったのは、「事実認識」の変化ではなく、「内部のパワーバランス」の変化だとしか考えられません。

おそらく外務省の中には、「中東アラビスト系」と「欧米リベラル系」がいるのだと推測されます。

今回のことは中東で発生した。そうすると出張ってくるのはアラビスト系です。アラビストは、みんな概ね、高橋和夫氏に代表されるような親パレスチナ・イデオロギーに洗脳されている。その上、彼らの念頭にあるのは、いまだに、50年前のオイルショックです。

つまり、彼らはこう考える。ハマスのやったことは悪いかもしれない。でも、ハマスをそこまで追い詰めたイスラエルがそもそも悪い。イスラエルは占領者だ。だから、ハマスのやったことを強い言葉で責めるべきではない。この問題はどっちもどっちなのだ。それに日本は中東アラブ諸国に石油を依存している。ここでイスラエルに側に立つなどと言ったら、彼らは怒って日本に石油を売らないと言ってくるかもしれない。50年前のオイルショックの時と同じように。そうなったら困る。だから日本は中立の立場でいるべきだ。

だから、岸田氏のメッセージはあのようなものになった。

しかし、おそらく、外務省の欧米リベラル派は、これに異論があった。リベラルの目線で考えれば、ハマスの蛮行はどう見てもテロであり、民主主義国としてテロはテロと呼び、絶対に許さないという姿勢を見せる必要がある。

実際、日本以外のG7諸国首脳は、ハマスの蛮行をテロだと明言して強く非難した。これは、日本の政治家や役人がよく言う「最も強い言葉で非難する」云々といった、全く誰の心にも届かない、そういったメッセージではなかった。各国首脳が、自分の言葉で、何度も何度も、こんな悍《おぞ》ましい行為は絶対に許してはならない、自分たちはテロには断固反対する、イスラエルの自衛権を支持すると発信した。

日本政府の立場は、この問題に対して孤立していました。G7で日本だけがハマスの蛮行を非難しない。それどころか、イスラエルにまで自制を求め、イスラエルに自衛権の行使をしないよう要請したわけです。

私の予想はこうです。政府は当初、中東アラビストたちに引きずられ、どっちもどっち的メッセージを出した。しかし、その後、日本以外のG7諸国がハマスのテロ非難で足並みを揃えたことにようやく気づいた。外務省の欧米リベラル派は、政府に立場の変更を迫った。これは民主主義国家、G7議長国としてありえないメッセージだと。「日本独自の中立外交」とか言いつつ、実はハマスというテロ組織とイスラエルという主権国家の中間に立つことの愚かさにも、ようやく気づいた。

しかし、すでに「どっちもどっち」声明は出してしまった。だからといって、このままにしておくのもまずい。だったら早いうちに修正した方が、まだマシではないか？

私には、外務省内部の事情はわかりません。しかし、政府があからさまに当初の立場とは姿勢を変えた背景には、内部の論争があったのではないかと思います。

そして、驚くべきは、日本の中東研究者や国際政治学者が軒並み、日本政府の当初の「どっちもどっち」声明を高く評価していたことです。

東大先端科学技術研究センターの池内恵教授は、「日本としては全面的にイスラエルの報復を支援するとは言いにくい。現実的かつ適切な判断だ」（朝日新聞２０２３年10月10日）と評価していました。

正直、私はこれを読んでかなり驚きました。ハマスの蛮行をテロと呼ばないことが「現実的かつ適切な判断」だという言葉が池内氏から出たことに、びっくりしたわけです。しかし、池内氏も他の多くの「国際政治学者」も、外務省から補助金をもらっている事実を勘案すれば、彼らの岸田政権への迎合も合点がいく。

私はこれは、現実逃避的で不適切な判断だと思う。というか、政府もそうだと反省したからこそ、今回、政府の立場を変えたのでしょう。

これは由々しきことです。政府の周りには、どっちもどっち声明を出すのは不適切だと提言する学者が誰もいないということです。それだけではない。ＳＮＳ上にもいない。メディアにもいない。日本政府のどっちもどっち声明を批判した研究者は、私以外には誰もいないわけです。

だから、日本の中東外交は失敗続きなのです。本当に異常な状況だと思います。

（２０２３年10月13日）

岸田政権の「全方位嫌われ外交」

かねてより、日本政府はイランと「伝統的友好関係」にあると強調し、イランの首脳や閣僚と会い、イランとの協力関係をそのたびに主張してきました。

日経新聞の「上川外相『ハマスに働きかけを』　イラン外相と電話協議」（２０２３年10月17日）という記事の冒頭には次のようにあります。

〈上川陽子外相は17日、イランのアブドラヒアン外相と20分間ほど電話で協議し、イスラエルとイスラム組織ハマスの衝突について意見を交わした。イランがハマスに働きかけ、事態の沈静化に向けた役割を果たすよう求めた。〉

これは完全に「中立外交」「パイプ外交」の履き違えです。イラン外相に電話することはできるかもしれない。しかし、40年間近くハマスに資金と武器を与え、ハマスを強大化させてきたイランの外相に電話をして、いったい何の意味があるのか？

イランがハマスを支援するのは、イランの国是ゆえです。イランの国是は、イスラエル殲滅です。ハマスのスローガンと同じです。

イスラエル殲滅のためにハマスを育て強大化させてきたイランに対し、「ねえねえ、そろそろハマスに自制するように言って」と上川氏が電話をしたところで、「うん、わかった、君がそういうなら、もうそろそろやめるように言うよ」とイラン外相アブドラヒアンが言うか？　言うわけがありません。

あの安倍氏ですら、イランとの仲介外交には失敗している。２０１９年の安倍氏イラン訪問時に日本のタンカーがイランに攻撃されたことをもって、日本とイランの「伝統的友好関係」などウソであり、イランに宥和政策は通用しないことが明々白々となったにもかかわらず、日本の外務省はしつこくしつこくイラン宥和政策を続けているのです。呆れるほどの愚策です。

上川氏は、なぜこんな無意味で実効性ゼロの電話をかけたのか？

日本の国民に対し、「外交の岸田」をアピールするためでしょう。中東の紛争にいっちょかみして、岸田は世界平和に貢献しているんだとアピールするため以外に、考えられない。

しかも、上川氏のイランへの電話は、単に無意味で実効性ゼロなだけではなく、日本というのはイランと仲のいい国だという別のメッセージとともに世界で伝えられました。

サウジの準国営テレビ「アル・アラビーヤ」は同日、Xにイラン外相と岸田首相が、にっこり笑い、がっちり握手をしている画像をポストしました。イランは、アラブ諸国にとって最大の脅威です。その脅威と日本は仲がいい。彼らはそう認識し、日本の「バランス外交」なるものを批判的で冷ややかな目で見ていることが理解できる。

サウジをはじめとするアラブ諸国は、日本にとって欠かせない、石油や天然ガスの供給元です。

岸田氏がハマスのテロ開始当初、ハマスの蛮行をテロと明言せず、ハマスとイスラエルの双方に自制を求める声明を出した際、これを「パレスチナにもイスラエルにも肩入れしない中立なメッセージ」と評価する人々が多くいた。東京大学教授の池内恵氏もこれを「現実的かつ適切」と評価していた。

１９７３年のオイルショックを念頭に、イスラエルを支持するようなメッセージを出せば、アラブ諸国から嫌われて、また1973年のように石油を売ってもらえなくなる、だから岸田氏の声明は実に正しいのだと評価する声もあった。

しかし、これは大いなる勘違いです。ハマスはアラブ産油国にとってもテロ組織であり、ハマスはパレスチナの代表ではない。ハマスを非難したところで、アラブ産油国が怒るわけがありません。

実際、岸田政権は声明を変えた。5日後になって、やっぱりハマスのやったことはテロです、と言い始めた。判断ミスを認めたわけです。

しかし、今度はイランとの友好関係をアピールするという愚行に出た。アラブ諸国を怒らせてはいけないはずなのに、アラブの大敵、脅威であるイランとの友好関係をアラブ諸国に見抜かれ、それを強調する写真まで掲載された。

アラブ諸国は、もちろん怒っています。そして、日本というのはやはり信用できない国だと確信を強めた。

はっきり申し上げます。岸田政権の中東外交は、全方面に嫌われる「嫌われ外交」です。イランとの伝統的友好関係をアピールするので、アラブ諸国には嫌われています。

そのイランは、アメリカを「大悪魔」と呼んで打倒アメリカを国是としている国ですから、その同盟国である日本はもちろん嫌われている。それどころか、イランは日本のタンカーを、近年だけで二度攻撃しています。日本はイランに敵視されているのが現実です。

そして今回、ハマスにテロ攻撃されたイスラエルにも嫌われている。日本政府は、ハマスの蛮行をテロと呼ばず、ハマスをテロ組織と呼ばず「武装勢力」などといってごまかし、さらにイスラエルに自衛権の行使をとどまるよう声明を出したからです。

テロを断固として非難するというイスラエルの姿勢は、自由民主主義諸国共通の立場です。ハマスの蛮行をテロと明言しなかったのは、G7で唯一、日本だけでした。日本は、自由と民主主義を支持するG7諸国からも「価値観を共有しない国」とみなされたはずです。

G7から嫌われ、アラブ諸国から嫌われ、イスラエルから嫌われ、イランからも嫌われる。岸田政権は「中立」スタンスでうまく立ち回っているつもりかもしれませんが、あらゆるプレーヤーに嫌われている。これが現実です。岸田外交は全方位嫌われ外交です。

（2023年10月18日）

［追記］2023年11月19日、日本最大手の海運会社である日本郵船の運航する船がイランの支援するイエメンのテロ組織フーシ派によって襲撃、拿捕されました。

ガザの病院爆発でハマスのウソに騙された日本政府

10月17日、ガザにある病院で「爆発」が発生し、471人もの人が死亡しました。

これについて朝日新聞は、「ガザの病院爆発　500人超死亡」(2023年10月18日付夕刊)という見出しで、「ガザ地区保健省『イスラエルが空爆』」「イスラエル軍『ガザの武装組織誤射』」と両者の言い分を載せました。

TBSの『ニュース23』は、「ガザの病院爆撃で471人が死亡　イスラエル訪問直前の事態にバイデン大統領は… 戦場記者・須賀川が現地から報告」と報じました。病院を「爆撃」したと言っている時点で、イスラエルがやったとこの人たちは決めつけたわけです。TBS記者の須賀川氏も、自身のXでも、「ガザの病院が空爆」「死者数は200から500」と決めつけました。

しかし、AP通信が映像等を分析した結果、これはガザから発射されたロケット弾が途中で分裂し、落下して引き起こした可能性が高いと発表しました。つまり、イスラエルの攻撃によるものではなかった、ということです。米国や英国も、これはイスラエルの攻撃によるものではないという見方を示している。

映像でも明らかなように、実際にロケットが落ちたのは病院の裏にある駐車場で、死傷者数は10~100人と見積もられています。着弾によってできたクレーターの直径は1メートルほど。ロケット弾の破片もイスラエル製のものではなく、ガザ製のもの、つまりイスラム過激派テロ組織のものであると発表されています。

当初からイスラエルは、ガザの病院に空爆などしていない、アルジャジーラの中継映像やその他の映像からも、この爆発がガザ領内から発射されたロケットによるものだということが明らかだ、と主張してきました。

米政権もこれを支持。ガザ病院爆発はイスラエル軍の攻撃によるものではないと公式に認めてきました。ＡＰ通信の分析も、イスラエルの主張を支持し、ガザのテロ組織に責任を負わせる内容となっています。

新聞などでは「ガザ保健当局」などとソースが示されていますが、これはハマスです。ハマスが「正当政府」を装うために、「ガザ保健当局」などというそれっぽい名前をつけているだけです。

結局、日本の新聞もテレビもテレビの記者も、みんな揃ってテロ組織ハマスの発表に飛びついて、フェイクニュースを流したわけです。

しかも、由々しきことに、日本の政府までもが、「ガザへの攻撃を非難する」という声明を出しました。上川外相は、病院が「攻撃」され、「多数の死傷者が発生」「罪のない一般市民に多大な被害が発生したことに、強い憤りを覚えます」という談話を発表し、暗にイスラエルを非難しました。外務省はこれに「10月17日、ガザ地区ガザ市にあるアングリカン・アル・アハリ病院で爆発が発生し、避難していた市民少なくとも500人以上が死傷」という説明を補足しました。

しかし、ガザの病院が「攻撃」されたという事実も、「避難していた市民少なくとも500人以上が死傷」という事実も、それを裏付ける証拠はありません。米「ニューヨーク・タイムズ」紙は、ハマスの発表を鵜呑みにし、事実確認をせずに1面で報じたことを誤りと認めました。しかし、岸田政権は上川氏の談話を訂正も謝罪もしていません。

日本政府がガザの病院への「攻撃」と明言しているということは、TBSと同じく、要するにイスラエルがやったと示唆しているわけです。ガザのテロ組織ハマスやイスラム聖戦（イスラミックジハード）の誤射によるものだという可能性など一切勘案していない。

しかし、パレスチナ問題を少しでも知る人間にとっては、ハマスやイスラム聖戦のロケット弾が4発か5発に1発くらい誤射をし、それがガザ領内に落ちて、ガザの住民を殺傷することがあることなど、常識です。

当時は状況から考えても、イスラエルがガザの病院を空爆する理由は一つもなかった。バイデン大統領のイスラエル入りを前に、なぜあえて病院を空爆する必要があるのか。百害あって一利なしです。

日本政府のこの声明に対しては、ユダヤ人団体のサイモン・ヴィーゼンタール・センター

（ＳＷＣ）が批判しました。ハマスは病院の爆発がイスラム聖戦によるものだと知っていて、あえて「イスラエルのせいだ！」というウソを流した。そして、日本政府も日本のマスコミも、そのウソに飛び付き、そのウソを広め、結果として「よくわからないがとにかくユダヤ人が悪い」という反ユダヤ主義を広めている。日本には「事実」を広める道義的責任がある、とＳＷＣは主張している。その通りです。

ＳＷＣがシェアしたのは、上川氏が出した談話の英訳です。ここでもやはり「Attack」、つまり「攻撃」という言葉が使われている。

ハマスがなぜ、イスラエルがやったとウソをついたのか、これを見ればおわかりでしょう。イスラエルは病院を攻撃して４７１人もの民間人を大虐殺したという、そういう衝撃的なイメージを世界にばらまく。世界の人々がそれを見て、ああ、イスラエルというのはなんてひどい国だ、やはりハマスにはあれだけのことをやる権利がある、そう思わせる。それだけで効果があるのです。

日本などは、メディアだけでなく政府までもがハマスのウソに飛びついた。どこまで愚かなのか。そしてどこまでテロ組織を信用し、どこまでテロ組織に寄り添うのか。これが「欧米とは異なる日本独自のバランス外交」だというのですから、笑うしかありません。

（２０２３年10月22日）

日本を除くG7がイスラエルの自衛権支持

ハマスのデマにまんまと踊らされていた日本政府を尻目に、10月22日に日本を除くG7諸国（6か国）が電話会談し、イスラエルの自衛権を支持する共同声明を出すと、岸田政権は日本が参加しなかった理由について、「6ヵ国は今回の事態の中で誘拐・行方不明者など犠牲者が発生しているとされる国々だ」と述べ、日本人が犠牲になっていないからだと説明しました。日本人がハマスのテロの犠牲になっていないので、イスラエルの自衛権を支持しない、という説明に合理性は全くありません。

逆に言えば、日本人がハマスに殺されていたら、会談にも声明にも参加していたということです。日本人がハマスに殺されていない現段階では、日本政府はG7声明に参加したくないという「強い意志」を持っている。

しかし、ハマスが大規模テロをした10月7日の直後にも、日本以外のG7諸国が会談をし、共同声明を出しました。その時は、どの国の国民がハマスに殺されたのか、拉致されたのかわからなかったが、この時も日本は参加しなかった。

つまり、松野氏の言い訳はウソで、とにかくイスラエルとハマスの戦争について、日本はG7と足並みを揃えたくないわけです。

では、日本以外のG7諸国の共同声明の主旨は何か。重要なのは次の2点です。

第一に、ハマスの蛮行をテロとみなして非難する。

第二に、ハマスのテロ攻撃を受けた主権国家イスラエルの自衛権行使を支持する。

日本は当初、この二つを、両方とも認めなかった。そして10月7日から5日後の12日になって、一つ目だけを認めた。

ということは、日本政府は今も二つ目、つまり、ハマスのテロ攻撃を受けたイスラエルの自衛権行使を支持していないわけです。そして、日本政府は、これについても絶対ではない、日本人がハマスに殺されたり、拉致されたりしたら、イスラエルの自衛権行使を支持すると暗示しているわけです。

岸田政権のこの立場表明は、日本の立場を明らかに悪化させました。私が指摘した、全方位嫌われ外交の深刻化です。

今回の件で明らかになった、日本外交のあまりに深刻な問題点を整理しておきます。

第一に、日本外交は場当たり的で国家戦略はない、という点です。

国民が犠牲になったかどうかで立ち位置を変える、というのが端的にそれを証明しています。その場その場で立ち位置を変えるわけですから、先も全く見通せません。これは日本国民にとって不安材料でしかなく、他国からみれば信用できない国だということになる。

岸田首相の、自由や民主主義を奉じるというのもウソです。法の支配を奉じるというのもウソです。力による現状変更を認めない、というのもウソです。

これらが本当ならば、日本はイスラエルの自衛権行使を支持するはずです。支持しないということは、岸田首相がこれまで表明してきた考えは、全部ウソだということです。

第二に、日本には価値観を同じくする仲間はいない、という点です。

日本は、断固としてテロは許さない、という立場も示せない。テロ攻撃に遭った国の自衛権を認める、という立場も示せない。この二つを支持するG7の中にあって、日本は唯一、この価値観を共有できない存在です。

国連安保理でいえば、中国やロシア、NATOでいえばトルコの立ち位置です。日本がいるからG7で一致した意思表明をできない。日本のせいで、G7はG7としてテロを許さない、イスラエルの自衛権を認める、と声明を出せないわけです。日本はG7に実害を与え、世界の秩序安定を損なわせる方向に貢献している。

第三に、日本は中立を履き違えているという点です。

世界において本当に中立の立場を貫くならば、スイスのように、自ら国を防衛する義務を負わなければならない。ところが、日本は国防をアメリカとの同盟に依存している。その時点で、全く中立ではありえないのです。

それにもかかわらず、日本は、「欧米とは異なる独自のバランス外交」なるものが実現可能だと自惚れている。だから、欧米とは異なり、イスラエルの自衛権を認めなかった。

しかし、これはアメリカに対し、日本が他国の攻撃やテロ攻撃を受けた際、アメリカが日本を支援、支持しない理由、方便を与えたも同然です。

日米同盟は、NATOのような強固な相互安全保障条約ではありません。日本が攻撃された際、アメリカが自動的に日本側に立って参戦するという内容は含まれていない。日本は、日米同盟に国防を依存しておきながら、「テロとの戦い」というアメリカの価値観をかなぐり捨て、「日本独自のバランス外交」などと嘯《うそぶ》いている。

では、日本は、イスラエルを支持しないことによってアラブ諸国の支持を得ているかというと、全くそうではない。日本の立場に対し、アラブで「反日」が広まり、イランにある日本大使館には赤いペンキがかけられる事案が起きたと、反日的な論調で知られる東京新聞が『「反日」がアラブの一部で高まる　ガザ情勢への対応で『絶対に日本製品は買わない』』(2023年10月21日)という記事で嬉しそうに報じました。

独自のバランス外交、中立外交をやった結果、全方位に嫌われ、信用を失った。これが岸田外交の結果です。

第四に、日本にはイスラエルにもアラブにもパイプなどなかった、ということが判明した点です。

双方にパイプがあるから欧米とは異なるバランス外交ができる、そうすべきだというのが日本の立場だったはずです。朝日新聞の「バランス外交模索　原油・邦人保護…　イスラエル・パレスチナ双方と電話協議、政府調整」（2023年10月11日）という記事の中では、池内恵氏の〈東大先端科学技術研究センターの池内恵教授は日本政府の対応に「日本としては全面的にイスラエルの報復を支援するとは言いにくい。現実的かつ適切な判断だ」と分析。〉というコメントが引用されています。池内氏は、ここで「報復」という言葉を用いて、「イスラエルの自衛権支持」を「イスラエルの報復」に勝手にすり替え、そんなものは支持できない、だから岸田政権の決定は正しいと詭弁を弄した。

では、日本は、この件について、アラブ諸国と話をしたのでしょうか？

日本がアラブ諸国に石油を依存しているのは確かです。ならば、アラブ諸国に対し、「我々は『パレスチナの大義』を支持します。これまでもパレスチナを支援してきたし、今後も支援を続けます。しかし、ハマスのテロは容認できません。我々はG7の議長国として、今回はハマスを非難し、イスラエルの自衛権行使を支持します」と理解を求めたのでしょうか？

おそらく全くそうしていない。

アラブ諸国の外交の基本は、トップ外交です。本当に日本にアラブ諸国とのパイプがあるならば、岸田首相がサウジのムハンマド・ビン・サルマン皇太子（MBS）やUAEのムハンマド・ビン・ザイド大統領（MBZ）に直ちに電話をし、パレスチナを支持するがハマスのテロは容認できない、と言えたはずです。そうすれば、そんなのは我々も同じです、と相手の意思も確かめることができたはずです。

実際、アラブ諸国は、パレスチナを支持していてもハマスのテロは非難しているからです。ならばここに齟齬《そご》はない。

イスラエルの自衛権行使の支持についても、本当にパイプがあるならば、理解を求めることはできたはずです。パイプなど全くなく、外交上の意思疎通が全くできていないからこそ、「イスラエルの報復なんて支持したらアラブから石油を売ってもらえなくなる」という50年前のオイルショックの亡霊に取り憑《つ》かれたままの妄想に立脚し、コウモリ外交を展開し、全方位に嫌われるのです。

G7でエネルギーを完全に自給できる国はアメリカだけです。他は日本だけでなく、カナダ、フランス、ドイツ、イタリア、英国のいずれも、石油や天然ガスを輸入している。

そこにはもちろん、サウジやUAEやカタールといった中東諸国も含まれる。というかむしろヨーロッパは、エネルギーのロシア依存から脱却するために、今、中東からの輸入を強化しようという局面にあります。

たとえばヨーロッパ諸国では、サウジからの石油製品の輸入が急増しています。要するにG7諸国も、米国以外は、エネルギーを中東に依存しているという点においては、日本と変わらないわけです。しかし、彼らは躊躇なくイスラエルの自衛権行使を支持した。妙な行動に走ったのは日本だけです。

そして、同時にG7の首脳は、イスラエルの首相と会談して支持を伝えているだけでなく、サウジやエジプトといったアラブ諸国の首脳とも会談して意思疎通に努めました。

何もやらなかったのは日本だけです。上川外相が遅ればせながらエジプトに行って、パレスチナ自治政府のアッバース大統領と会ったくらいなものでしょう。しかし、ハマスとイスラエルが戦っている時に、アッバースに会ってもほぼ無意味です。

第五に、皮肉として付け加えておきますが、日本政府は脱炭素などする気はない、ということです。

本気で脱炭素できると思っているならば、アラブの石油など気にせず、G7議長国として、堂々とテロとの戦いを支持し、堂々とイスラエルの自衛権行使を支持すればいい。結局、脱炭素など、「社会正義の実践者」のフリをしてやっているだけなのです。

そして、岸田氏はサウジに行っても脱炭素、UAEに行っても脱炭素とかやっているから、肝心な時に石油を売ってもらえる確証を持てなくて、それでこんなコウモリ外交を展開し、結果として国益を損ねるのです。

（２０２３年10月24日）

岸田首相はイスラエルの自衛権を擁護したのか？

10月27日に、時事通信が、「岸田首相、仏大統領と電話会談　イスラエルの自衛権擁護」という記事を出しました。見出しには「イスラエルの自衛権擁護」とあります。しかし、記事を読んでみると、次のようにあります。

〈首相はハマスによるテロ攻撃を断固非難するとともに、「イスラエルが国際法に従って自国や国民を守る権利を有することは当然だ」との立場を伝えた。〉

これは、「自衛権擁護」ではありません。単に、「イスラエルには自衛権がある」と言っただけです。これは、単に国際法で定められている主権国家の権利について述べただけのことです。彼の発言の「イスラエル」の部分を、どの国家に変えても妥当する。

重要なのは、岸田氏は一般論を言っているだけで、別に「イスラエルの自衛権行使を支持する」とは言っていないという点です。「イスラエルには自衛権がある」というのは一般論であり、「イスラエルの自衛権行使を支持する」というのは自身の立場の表明です。岸田氏の発言は前者であって、後者ではない。

この発言は、実は上川外相もしています。上川外相も27日に記者会見で、「イスラエルが主権国家として、自国及び国民を守る権利を有することは当然」とは述べたものの、イスラエルの自衛権を支持するとは述べませんでした。この場で上川氏は、「我が国は、ハマス等によるテロ攻撃を断固として非難した上で、第一に、人質の即時解放・一般市民の安全確保、第二に、全ての当事者が国際法を踏まえて行動すること、第三に、事態の早期沈静化を一貫して求めてきております」と強調しました。

10月8日の岸田首相の「全ての当事者に最大限の自制を求めます」から27日の上川外相の「事態の早期沈静化」に至るまで、岸田政権はイスラエルには自衛権があると言いつつも、自制するよう、早期沈静化のためにその行使を自粛するよう暗に求める態度を続けています。しかも、イスラエル非難を仄めかす表現を含む発信も続けています。

上川氏は27日の会見で「自由、民主主義、基本的人権の尊重、法の支配といった普遍的価値を共有する我々G7」とか、「日本は、今年G7の議長国であります。法の支配に基づく自由で開かれた国際秩序の維持・強化、そして、国際的なパートナーへの関与の強化等を優先課題として、G7の議論をリードし、成果を挙げてまいりました」と、G7の一体性、日本のリーダーシップを強調しました。

しかし、日本以外のG7首脳が共同声明を出したことについては、「他国が発出した声明の内容につきまして、コメントすることにつきましては、差し控えさせていただきます」「今般の事案につきましては、我が国は直接の当事者ではなく、個別具体的な事情を十分把握しているわけではないことから、確定的な法的評価を行うということにつきましては、差し控えたい」云々と論点をずらし、木で鼻をくくったような回答に終始しました。

また、24日の会見では「従来、国際社会において、中東問題をめぐりましては、様々な枠組みで、議論や立場表明がなされてきております。今回もその一つとして、G7とは別の形で発出されたものと承知しております。このように、国際社会では、その時々の情勢や、また各国が抱える状況等に応じまして、様々な形で連携・協力が行われてきております」と一般論にすり替えて、記者の質問を煙に巻いた。

日本は意地でもイスラエルの自衛権行使は支持しない。だからこそ、自衛権行使を支持すると明言している日本以外のG7諸国の共同声明には加わっていないのです。

さらに、日本はG7諸国に、「そういう国」、つまりイスラエルの自衛権行使を支持しない国だ、とそもそもみなされている現実も明らかになりつつあります。

毎日新聞の「日本の全方位外交、あちら立てればこちらが…　ガザ緊迫でジレンマ」（川口峻、2023年10月27日）という記事には、次のようにあります。

〈G7のうち日本を除く6カ国が22日に電話協議し、イスラエルの自衛権行使の支持やガザの民間人保護などを求める共同声明を発表。米英独仏伊の5カ国は9日にも共同声明を発表し緊密な連携を示したが、外務省幹部は「日本に参加の正式な打診はなかった」と打ち明ける。〉

日本以外のG7諸国の共同声明は、10月7日のハマスによるテロ攻撃開始の2日後の10月9日と、10月22日に出されています。共に主旨は、「ハマスの攻撃をテロと非難」「イスラエルの自衛権行使を支持」というものです。これはまさに、法の支配による秩序の維持、力による現状変更の否定という、G7が共同で掲げてきた理念の体現そのものです。

日本はそこに呼ばれることすらなかった。要は、日本は価値観を共有していない、と元からみなされているということです。

池内氏は、これは「悪いことではない」、むしろいいことなのだと評価しました。

〈私が「イスラエルの側に立つ」という欧米の声明に日本が加わるべきではない、正確には「加われない」と考えるのは、イスラエルの生存とパレスチナ問題には、欧州のユダヤ人問題や戦後の世界秩序形成を巡る超大国や旧「列強」と不可分なので、日本は単に「お呼びじゃない」。それは悪いことではない。〉（@chutoislam　2023年10月24日）

なぜなら、「ホロコースト後のイスラエルに、日本ができることは少ない」からだと言う。

〈同時に、米国とドイツのモラルと責任に支えられた第二次大戦後・ホロコースト後のイスラエルに、日本ができることは少ないと痛感する。そして米国とドイツが負ったモラルと責任の崇高な重みとは無縁の過酷な境遇をなぜパレスチナ人が受難し《ママ》ならないのかについてはここで答えられても問われてもいない。〉（同）

私は全くそうは思わない。イスラエルの自衛権行使を支持することこそ、イスラエルに対して「日本ができること」であり、それはイスラエルに対してだけでなく、テロ攻撃を受けたあらゆる国に対して「日本ができること」であり、それだけでなくＧ７の一員として、民主主義国家として「日本がすべきこと」「日本がしなければならないこと」だと思います。

日本はこれまで、躊躇することなく「テロとの戦い」を支持し、参加してきた。池内氏も、日本がアルカイダや「イスラム国」を相手とした「テロとの戦い」を支持することを批判してはいないと思います。

ところが、池内氏は、イスラエルがテロと戦う時には、テロとの戦いを支持すべきではないと言う。日本に声がかからないのはむしろいいことなのだと言う。なぜなら、

〈これに日本が入ればイスラエルの生存とその裏返しのパレスチナ問題という、近代国際秩序の結果の負の要素が、「Ｇ７の問題」にされてしまう。日本にこの問題について旧欧州列強のような責任がありますか？　日本の戦後復興によってかろうじてその一角を得たＧ７という場に、暗い影が差してしまう。〉（同）

イスラエルの生存とパレスチナ問題に対して、日本には「責任」がないからだと言う。これはもうめちゃくちゃな理論です。

イスラエルという国家の存在は、国際的に承認されている。池内氏は、イスラエルが「米国とドイツのモラルと責任に支えられた」と言っているが、それだけではありません。日本もイスラエルを国家として承認し、外交関係を結んでいる。日本はイスラエルという国家を承認している、その国際秩序の維持を支持する立場であるはずです。それが日本の責任であるはずです。

ところが、池内氏は、そんな責任は日本にはないという。日本はホロコーストに責任がないし、パレスチナ問題にも関係ないから、イスラエルの自衛権行使なんて支持しない方が得策なのだという、全く意味不明な論を展開する。

ならば、なぜ日本はイスラエルという国を承認し、外交関係を持っているのか。ならば、なぜ日本は、パレスチナに毎年数十億円の支援金を出しているのか。

しかしこの、池内氏の意味不明な主張は、政府内でも共有されていることが、毎日新聞の記事からわかります。

〈政府内にはこの状況に関して、「中東地域に歴史的因縁が深い欧米諸国と一線を画す方が、日本外交には得策だ」との主張がある一方で、Ｇ７議長国として中国やロシアを念頭に、法の支配の重要性やG7の結束を掲げてきた手前、「共同声明の枠組みに入れなかったことは痛かった」との声もある。対応に苦慮する姿が浮き彫りとなった。〉

「中東地域に歴史的因縁が深い欧米諸国と一線を画す方が、日本外交には得策だ」というのはまさに、池内氏のXでの一連の発信の主旨と同じです。これを「政府内池内派」と呼ぶことにします。

おそらく、岸田氏が10月8日に出した声明で、ハマスの攻撃を「テロ」と呼ぶことすら避けたのは、この「政府内池内派」の意向が強く反映されていたからです。

しかし、10月12日になって、岸田政権はハマスの攻撃をテロと呼ぶことにした。変更したわけです。おそらくこれは、「政府内反池内派」、つまりG7の結束や、法の支配という立場を一貫することにこそ日本の国益があると考える一派の「逆襲」です。「反池内派」は当然、「イスラエルの自衛権行使を支持する」と日本も表明すべきだと考えているはずです。

しかし、現状、日本は「イスラエルには自衛権がある」としか言っていない。これは「池内派」の意向です。

要は政府の中で、この件をめぐって、二つの陣営が内部抗争を繰り広げている。これが日本政府の立場がどっちつかずでフラフラしている原因だと思われます。

「政府の中」とは言っても、実質的にはこれは外務省の中と言っていい。外務省の中に、「池内派」と「反池内派」があって、この一件をめぐって対立している。「池内派」が中東外交の主流ではあるが、それは外務省全体の中では絶対強者でもないということでしょう。だから、ハマスの攻撃を「テロ」と呼ぶという変更があった。

「池内派」と書きましたが、これは戦後、特にオイルショック後の、日本の中東外交の主流派です。それはつまり、親パレスチナであり、反イスラエルです。それは同時に、親イランであり、反湾岸諸国（サウジ、UAEなど）でもあります。

これを理論的に支えてきたのが、日本の中東業界です。日本の中東業界は左翼の牙城です。左翼の牙城に支えられてきたのが日本の中東外交であり、それが今の日本の中東外交をどっちつかずの、全方位嫌われ外交へとリードしている。

池内氏は元々、この中東業界の主流派とは対立する立場でした。中東業界主流派は、「反イスラエルで親パレスチナ」であり、「イスラム教は平和の宗教」だと言ってきた。池内氏は、私より前に、「イスラム教は平和の宗教」論にちらりと異議を唱えた人です。

しかし、池内氏は中東業界の一つ目の前提、つまり、「反イスラエルで親パレスチナ」というのは、そのまま継承している。彼は、ハマスの「攻撃をもたらした」のはイスラエルの「対外関係の認識の不全」だとし、加害者であるハマスではなく被害者であるイスラエルを非難した。そして、イスラエルに対し、軍事力で「ハマースの意志を挫く」のは無理なのでハマスと交渉しろと迫った。彼のスタンスは明らかです。

この池内氏が代表を務める「シンクタンク」ROLESは、外務省の補助金で複数の「プロジェクト」を運営している。事実上、御用学者として機能している。

私ですか？　私の立場は「反テロ」です。テロを認めてはならない。テロにはどんな正当化もあってはならない、という立場です。この問題を、親イスラエルVS親パレスチナというイデオロギー闘争に落とし込んでいること自体が、私は深刻な問題だと思っています。

（2023年10月29日）

岸田政権の「中立」外交は〝夜郎自大〟

テロとの戦いというのは、「自由、民主主義、基本的人権の尊重、法の支配といった普遍的価値を共有」するかどうかが、最も端的に試される局面です。テロとは暴力の行使により自らの政治的目的を達成しようとする試みであり、自由や民主主義の対極に位置することは言うまでもない。テロを容認すれば民主主義は崩壊し、法の支配に基づく国際秩序は瓦解します。

岸田政権は、今でこそハマスの攻撃について「テロは容認できない」「テロを断固として非難」と言ってはいるものの、初動の段階ではそもそもハマスの攻撃をテロと認定することすらできず、一方でテロ組織ハマスの発表を証拠もないのに早急に事実と認定し、暗にイスラエルを非難する談話を発表するという醜態を国際社会にさらしました。

しかも、日本はG７とたもとを分かち、テロ攻撃に対するイスラエルの自衛権行使を支持しない道を選択した。岸田政権のこの選択は、日本の有事の際、国際社会が日本の自衛権行使を支持しない可能性を増大させました。

日本がテロ攻撃や他国からの軍事侵攻を受けたとしても、「我が国の国民が犠牲になっていないので、我が国は日本の自衛権行使を支持しません。事態の早期沈静化のため、日本には最大限の自制を求めます」と言われることになるでしょう。

中東外交だけは中立でやる、欧米とは異なるバランス外交を、などという掛け声は、日本国内では一定の支持を得るかもしれませんが、国際的に客観的に見れば単なる夜郎自大です。

中立には対価が伴う。日本にはその覚悟も準備もない。日本には一国で自国を守れるだけの軍事力も兵力もないのが現実です。

米国との同盟関係に加え、価値観を共有する諸国と連携した外交を展開することなしには、日本の国防はおぼつかない。

岸田政権の中東外交は、亡国の外交に他なりません。

（２０２３年11月１日）

岸田政権100億円パレスチナ支援がハマス支援になる理由

朝日新聞が「パレスチナに追加の人道支援100億円　上川外相が表明」（松山紫乃、2023年11月3日）という記事を出しています。

冒頭には、次のようにあります。

〈上川陽子外相はパレスチナ自治区のヨルダン川西岸ラマラで3日午後（日本時間同日夜）、自治政府のマリキ外相と会談し、パレスチナに対して約6500万ドル（約100億円）の追加的な人道支援を行うと表明した。〉

なるほど。「パレスチナ」に対して6500万ドル（約100億円）の「人道支援」を行うというわけです。

日本は1993年からこれまで、パレスチナに対し30年間に23億ドル（約3400億円）もの支援をしてきました。

パレスチナ支援の具体的内容について、外務省は次のように説明しています。

［我が国の対パレスチナ支援］（令和5年6月外務省資料より一部抜粋）

◎パレスチナ難民支援

・ＪＩＣＡの「難民キャンプ改善プロジェクト」を通じて約９１０万ドルを支援。
・国連パレスチナ難民救済事業機関（ＵＮＲＷＡ）を通じて、これまでに総額10億ドル以上の支援を実施。
◎財政・金融支援
・２０２２年12月、ＪＩＣＡが大手民間金融機関パレスチナ銀行との間で３０００万米ドルの劣後融資を供与する契約を調印。
◎ガザ地区に対する支援
・ＵＮＲＷＡ経由の食糧援助などを実施。２０２２年度のガザ地区への支援総額は約２２００万ドル。
◎「平和と繁栄の回廊」構想に資する支援
・２００７年以降、ＪＡＩＰ（ジェリコ農産加工団地）のインフラ整備等に２３００万ドル以上を支援。

パレスチナ難民に対する支援、ガザ地区に対する支援など、いずれも国連パレスチナ難民救済事業機関（ＵＮＲＷＡ）を通した支援が多いことがわかります。

日本はこれまでにＵＮＲＷＡに10億ドルの資金援助をしている。つまり、今回のパレスチナへの追加支援金100億円も、その多くはUNRWA経由で何かに使われるのだろうと想定されます。

これが問題なのです。

第一に、UNRWAはハマスとつながっています。

UNRWAというのは超巨大組織で「パレスチナ難民」を含む3万人もの職員を雇用し国際支援金で給与を支払っている。その中にはハマスのメンバーやシンパが含まれています。UNRWAには労組のようなものもあり、UNRWAガザ支部の労組メンバーは軒並みハマスで占められたりしている。UNRWAのガザ支部はほぼハマスによって支配されているといっても過言ではありません。

UNRWAに資金提供するということは、間接的にハマスに資金提供することになる。これが第一の問題です。

第二に、UNRWA経由の支援物資は、ハマスが横流ししたり、テロに転用したりしています。

ハマスが水道管を掘り出し、それでロケット弾を製造していることはよく知られています。また、UNRWAの支援物資が、なぜかガザのスーパーで売られている事実も確かめられています。

10月7日虐殺の後、ハマスが公開した「イスラエル人の捕虜」の写真には、日の丸のついた袋が写っていました。そこには、“For free distribution for Palestine refugees”と書かれており、その下に日の丸があり、その下には“The people of Japan”と見られる文字も確認できます。

日本がパレスチナ難民のために支援した小麦粉か何かの袋が今、ハマスによって、土嚢《どのう》のような形で転用されている。その上に、ハマスによって拉致されたイスラエル人が後ろ手に縛られた状態で転がされている。実に残忍な状況です。

ハマスのテロ行為に、日の丸のついた袋が、このような形で使われているという、そのこと自体が日本の恥です。しかし日本はこれについて、何一つ抗議しない。

代わりに何をやっているかというと、パレスチナに100億円追加支援しますと言っているわけです。人道支援だと言っているわけです。

弱者パレスチナに人道支援100億円、といえば聞こえはいいかもしれません。しかし、それはいったい、誰によって、どのように使われるのでしょう？　その資金はいろいろな形でハマスに渡り、テロ資金になっている可能性がある。その支援物資もいろいろな形でハマスに渡り、テロに利用されている可能性がある。

日本政府のパレスチナ支援の問題は、多額のカネを弱者パレスチナに渡して、「社会正義」

を果たしたようなパフォーマンスをしているだけで、それが実際どのように使われているのかどうかわからないところです。そして日本は、それがテロ目的に使用されていないことを確かめようともしない。

アメリカやヨーロッパ諸国は、UNRWA支援やパレスチナ支援に、テロ支援やヘイト教育、腐敗などの問題が明るみになると、議会で議論され、その結果、支援金拠出を停止したり減らしたりしています。日本はそれもやらない。

要するに、日本の支援金がテロに使われようとなんだろうと、日本政府は気にもしていないのです。

それもそのはずです。ただ単に「弱者パレスチナ」に多額のカネを渡していい人のフリさえできればいいのですから。

国民に対しては増税し、外でバラまいていい人のフリをする。これが岸田政権です。

（2023年11月5日）

G7に呑み込まれイランに嘲笑される岸田政権

2023年11月7日、8日に東京で開催されたG7外相会談が閉幕し、共同声明が発表されました。共同声明のうち、イスラエルとハマスの戦争について言及している部分で明示されているのは以下の2点です。

（1）我々は2023年10月7日に始まったイスラエル全土におけるハマス等によるテロ攻撃、および現在も続いているイスラエルに対するミサイル攻撃を明確に非難する。
（2）我々は、再発防止を目指すイスラエルが、国際法に従い、自国と自国民を防衛する権利を有することを強調する。

10月8日に岸田首相が出した声明は、次のような主旨でした。

（1）ハマスの攻撃をテロと呼ばない。
（2）イスラエルに自制を求める。

比較してみると、テロ発生当初に日本が表明した立場が、日本以外のG6諸国といかに乖離していたかが明白です。

一方、岸田声明の内容は実は、10月27日に国連総会で決議された内容とほぼ同じです。国連決議は、次のような主旨です。

（1）ハマスを名指しして非難せず、ハマスの攻撃をテロと呼ばない。
（2）イスラエルの自衛権に触れず、停戦を求める。

「バランス外交」とやらをめざす岸田政権は、国連の意向と合致していることがうかがえます。国連といえば聞こえが良さそうですが、国連安保理常任理事国は5か国であり、うち一つはウイグル人を弾圧、迫害している中国であり、もう一つはウクライナに軍事侵攻したロシアです。

国連人権理事会は、ウイグル人迫害について中国を非難する決議を一つも採択していない。一方で、イスラエル非難決議は毎年何十回も採決されています。国連というのはそういう組織です。日本が国連中心主義に傾倒すればするほど、日本の国益は損なわれ、中国やロシアはほくそ笑む。

その後、日本は、「ハマスの攻撃はテロと呼ぶことにします」と態度を変えた。これはG6への譲歩、歩み寄りです。

しかし、イスラエルの自衛権については相変わらず「自衛権はある」という表現にこだわり、G6が「イスラエルの自衛権行使を支持する」と共同声明を出したのとは違う立場を堅持してきました。

加えて日本は、イスラエルがパレスチナの民間人を大虐殺しているかのように仄めかし、暗にイスラエルを非難するような声明まで出してきました。このあたりは、ハマスを支援するイランへの忖度、パレスチナを支援するアラブ産油国への忖度のつもりらしい。

そして、上川外相は繰り返し、イスラエルとハマスの戦争についての日本の立場は、

第一に、人質の即時解放
第二に、全ての当事者が国際法に従って行動すること
第三に、事態の早期沈静化

だと主張してきました。

要するに日本とG6の大きな違いは、以下3点です。

① イスラエルの「自衛権行使を支持しない」日本と、「自衛権行使を支持する」G6。
② イスラエルのパレスチナに対する攻撃を暗に非難する日本と、それに言及しないG6。
③ 事態の沈静化を最優先する日本と、人道目的の戦闘休止は求めるが沈静化を求めるこ

とはしないG6。

では、今回、G7議長国として議論を主導し、「ワンチームでやっていきましょう」(読売新聞記事より、上川発言)と意気込んでいた上川氏は果たして、実際に議論を主導し、G7をワンチームとしてまとめることができたのか、それとも日本はG6の意向に呑み込まれたのか。

結論は明らかです。

①については、共同声明自体は、「イスラエルが自衛権を持つことを強調」するとなっており、G6共同声明の「イスラエルの自衛権行使を支持」から一見、後退したかのような印象を受けます。これはおそらく、議長国である日本が、あまりにも強く、「自衛権行使を支持はダメだ。自衛権を持つ、という表現にしなければならない」と主張したので、G6が妥協したということでしょう。

しかし、実際には、たとえばブリンケン国務長官がG7外相会談後にXへのポストで、「G7はイスラエルの自衛権を支持する」とはっきり書いている。

要は、日本がこだわった「自衛権がある」という声明の文言になど、米政府は全く頓着していない、ということです。日本がそんなにこだわるなら、声明は「自衛権がある」にしてもいいけど、でも、うちらは「自衛権支持」でいきますから、ということです。
②については、上川氏がガザ病院「空爆」を非難したような、つまり、イスラエルがパレスチナの民間人を虐殺しているかのような表現は、声明には全く組み込まれていません。
日本が取りたいのは「どっちもどっち」スタンスです。ハマスがやったことは悪いかもしれないが、イスラエルだってガザ民間人を大量虐殺してるじゃないか、という日本メディアに流布する「どっちもどっち」論こそが、「バランス外交」には必須なのだと岸田政権は勘違いしている節がある。しかし、G6はそれを許さなかった。

日本の独善的バランス外交論に与する義務も必要性も、G6には全くないわけです。日本はG6を「どっちもどっち」スタンスに引きずり込むことなど全くできなかった。当たり前です。
③についても、日本はとにかく「事態の沈静化を求める」の一点張りで来たわけですが、これははっきりいえばイスラエルに自制しろと要求しているわけです。テロ攻撃されたのはかわいそうだけど、でもイスラエルが反撃すれば事態は悪化する、それはまずい、とにかく沈静化だ、というのが日本の立場です。戦争絶対悪という考えです。
しかし、G7共同声明で採択されたのは、あくまでも人道目的の「一時休止」だけでした。日本はここでも、G6に呑み込まれた。

要するに、日本はG7の議論を主導することなどできなかったし、むしろ、G6に呑み込まれ、これまで「バランス外交」で取ってきたスタンスを変えざるを得なかったというわけです。

本当にバランス外交こそが最良だと信じるならば、共同声明から日本は離脱すればよかったはずです。しかし、離脱もしない。これまでの方針を、ここではあっさり変えるわけです。要は、ここでG6に合わせることで、また「バランス」を取った気でいるのでしょう。なんという一貫性のなさ。なんという場当たり感。

上川氏は、11月7日の記者会見においては、日本外交を次のように評価していました。

「日本は、今年のG7議長国として、法の支配に基づく自由で開かれた国際秩序の維持・強化、国際的なパートナーへの関与の強化等を優先課題として、G7の議論をリードし、成果を上げてきました」

こんなものは自画自賛にすぎません。

イランの国営ニュースメディアは、日本の「バランス外交」を酷評しています。ハマスだけ非難して、イスラエルの攻撃を非難しないなんて、日本は偏っている！　と怒っているわけです。イランはハマスのスポンサーですから、当然です。

記事には次のようにあります。

「G7外相会合の議長国として議論をリードしたい日本ですが、パレスチナ問題をめぐっては他の西側諸国の意向を汲む以上の内容は期待できなさそうです」

イランは要するに、日本は所詮、西側諸国の犬だと馬鹿にしているわけです。普段は、常に「イランは伝統的親日国」「イランと日本は伝統的友好関係にある」云々とおべんちゃらを言っているくせに、アメリカやイギリスを前にしたらほれみろ、完全にあいつらの言いなりじゃないか、と嘲笑している。

イランに嫌われたらホルムズ海峡を封鎖されて日本に石油が入ってこなくなるから、イランを絶対に怒らせてはならないんだ！　という外務省の謎のこだわりは、全く無意味であったことが明らかです。

というか、日本はアメリカの同盟国である時点で、イランに嫌われないように頑張ろう！などと考えること自体に無理がある。イランは「アメリカ死ね！」と国会でシュプレヒコールをあげる、自他共に認める反米国家です。安倍氏のイラン訪問に合わせて日本のタンカーを攻撃した反日国です。日本はイランにとって敵なのです。

ちなみに、日本がイランとの「伝統的友好関係」を強調してイランに媚《こび》を売れば売るほど、日本は湾岸アラブ産油国から不信の目で見られているという現実もあります。湾岸産油国にとって最大の脅威はイランなのですから、当然です。

ところが、岸田政権の中東外交、すなわち「欧米とは異なる日本独自のバランス外交」に、日本の中東研究の「権威」とされる東大の池内恵氏が、「現実的かつ適切な判断」とお墨付きを与えているわけですから呆れます。

池内氏は、

〈私が「イスラエルの側に立つ」という欧米の声明に日本が加わるべきではない、正確には「加われない」と考えるのは、イスラエルの生存とパレスチナ問題には、欧州のユダヤ人問題や戦後の世界秩序形成を巡る超大国や旧「列強」と不可分なので、日本は単に「お呼びじゃない」。それは悪いことではない。〉（@chutoislam　２０２３年10月24日）

と、日本は、「イスラエルの側に立つ」という欧米と足並みを揃えるべきではない、なぜなら日本は「お呼びじゃない」からだと主張した。

〈これに日本が入ればイスラエルの生存とその裏返しのパレスチナ問題という、近代国際秩序の結果の負の要素が、「G7の問題」にされてしまう。日本にこの問題について旧欧州列強のような責任がありますか？　日本の戦後復興によってかろうじてその一角を得たG7という場に、暗い影が差してしまう。〉（同）

と、日本が「イスラエルの側に立つ」と言うと、「G7という場に暗い影が差す」という意味不明な、脅しとも言える主張を展開し、

〈日本がアジアの戦後復興の先頭を切ってG7に入っていなかったら、G7はそんなに明るいものではあり得なかったと思う。〉（同）

と、日本がG7にいるからG7は明るいのだ、という奇妙な「日本救世主論」を唱え、

〈日本以外の多くのアジア諸国が発展していった現在、日本にとってG7は「欧米に追随」するための場ではないと思うんですよね。少なくとも目指すものは。日本がいることで欧米の旧世界の大国がアジアの未来に繋がれるような、そういう場としてG7を使うのでなければ、入っていて何か意味ありますか？〉（同）

と、日本がG7で欧米に追随しないことこそが、日本の、そしてアジアの未来につながるんだという謎理論を展開していました。

しかし今回、G7外相会談では、日本は完全に欧米に追随した。ということは、池内理論に則れば、日本が欧米に追随したことで、G7に暗い影が差し、もうG7にかつての明るさはなく、G7は日本にもアジアにも未来をもたらさないということです。日本の中東研究なるものが、いかに非現実的で国益を毀損する種のものであるかということ、日本の外交を正しい方向に向かわせるような、そんな知見などどこにもないことが明らかです。

かように、日本の中東外交、中東研究というのは全く現実を反映していない。妄想に立脚して行われている、完全なる勘違い外交にして、勘違い研究なのです。

岸田政権の「バランス外交」は全方位嫌われ外交だと私が主張してきた、それが正しいことが次々と証明されてきています。これは日本にとって由々しき事態です。

（２０２３年11月９日）

日本は仲介役になれるという「専門家」のウソ

日経新聞が「中東、日本が『等距離』の理由　米欧と一線画しエネ外交」（２０２３年11月10日）という記事を出しました。

まず、表示している図（**図4**）からして、もうめちゃくちゃです。イランがハマスを「支援?・」とありますが、「?・」をつける必要など一つもない。イランも「支援している」と言い、ハマスも「支援されている」と言い、物証もいくらでもあるのに、日経新聞は「?・」をつける。要するに、日経新聞はわざとあいまいにさせているのです。

なぜか？

理由は明白です。日本が「伝統的な友好関係」を結ぶイランが、ハマスを支援しているとなると日本政府と外務省、メディアにとっても都合が悪いからです。自分の都合に合わせて現実の方を歪曲するメディアの偏向が、ここにもはっきりと見て取れます。

日経新聞は、日本の中東「バランス外交」をこう説明します。

図4　日経新聞が示すイスラエルとハマスを取り巻く世界情勢

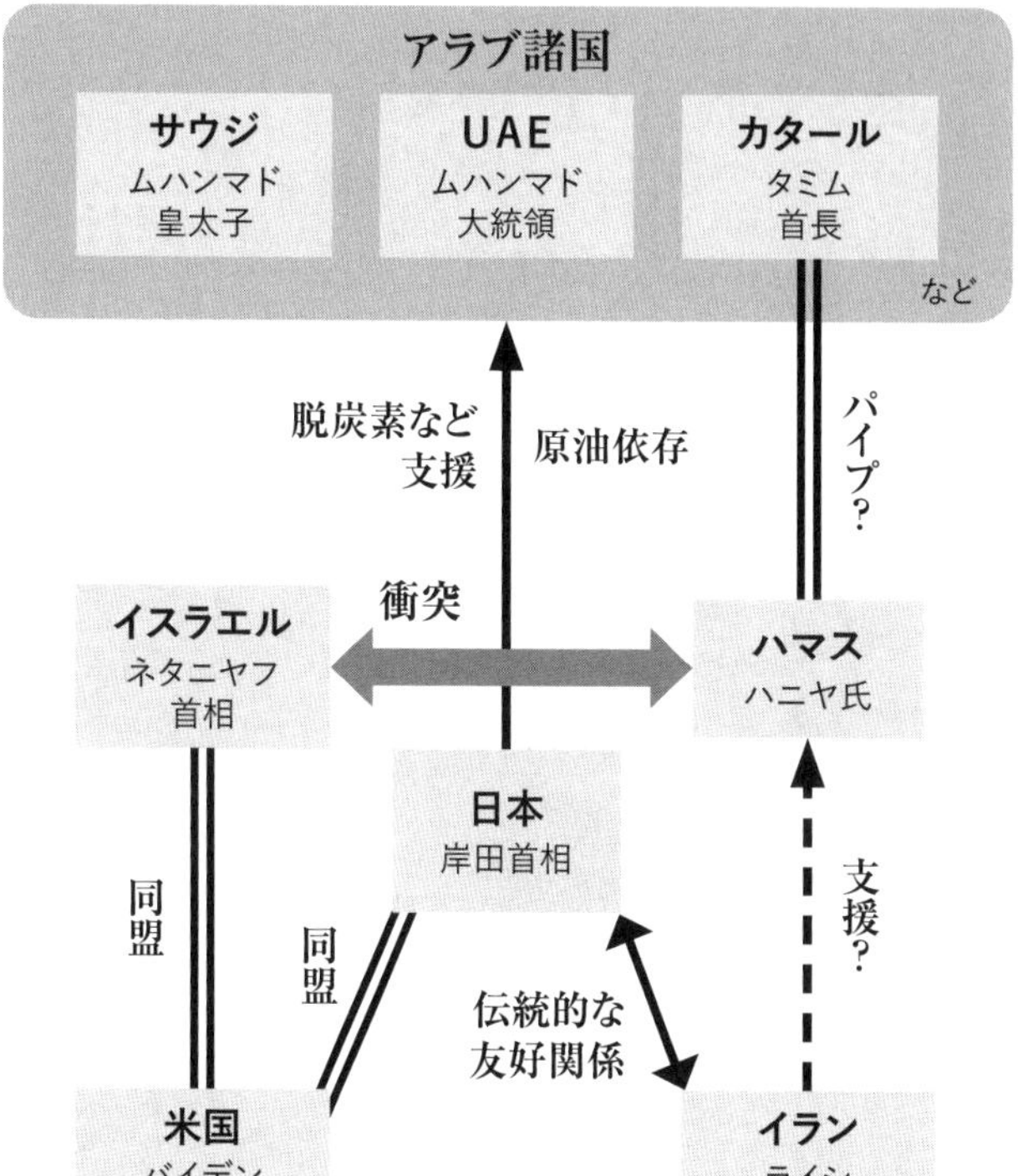

［日経新聞の記事を元に編集部作成］

〈米国はイスラエルと同盟を結んだが、中東を巡るパワーゲームから一歩引く位置にいた日本はイスラエルともアラブ諸国とも等距離のバランス外交を展開してきた。

米欧と一線を画すのは原油などの資源を輸入に頼らざるを得ない事情がある。

アラブ諸国にはサウジアラビアやアラブ首長国連邦（UAE）をはじめハマスを敵視する国もある。カタールのようにハマスとパイプがあるとされる国も存在する。

日本はカタールからも資源を輸入する。エネルギー安全保障の面から旗幟（きし）を鮮明にしにくい。

イスラエルへの支持一辺倒でない日本のバランス外交の姿勢は現在にも通じる。

今回の衝突で鮮明になった事例がある。主要7カ国（G7）のうち日本以外の6カ国は10月22日にハマスの攻撃を受けたイスラエルを支持する共同声明を発表した。

松野博一官房長官は「6カ国は誘拐・行方不明者など犠牲者が発生しているとされる国々だ」と日本が声明に加わらなかった背景を説明した。〉

なるほど、バランス外交とは「イスラエルともアラブ諸国とも等距離の外交」「旗幟鮮明にしない外交」だという。

しかし、この説明は、矛盾している。日本が「米欧と一線を画すのは原油などの資源を輸入に頼らざるを得ない事情」があるというが、資源を輸入に頼らずに済むのはアメリカだけであり、欧州諸国もアラブ諸国から資源を輸入している。だが、欧州諸国はイスラエルの自衛権行使を支持した。日本だけが、イスラエルの自衛権行使を支持しなかった。アラブからの資源輸入は理由になっていないのです。

また、アラブ諸国にはハマスを敵視する国とハマスとパイプのある国が両方あると書かれていますが、だからハマスに忖度するというのは、全く道理に合わない。

ハマスはテロ組織であり、実際に凄惨なテロ攻撃で1200人以上を殺した。それを日本は、「ハマスとパイプのある国カタールから日本は資源を買っているのでハマスを非難するのはやめておこう」というのが妥当だと判断したわけで、岸田首相がこれまで主張してきた「法の支配」とか「国際秩序」なんてものはどうでもいいのだと、かなぐり捨てたことになる。

ならば、そんなことは未来永劫言わなければいい。「我々日本は、自分たちの利益のためだけに動きます。法の支配とか、国際秩序とか、心底どうでもいいんです」と宣言すればいい。実際そうしているのだから、そうすべきなのです。

岸田政権は世界に向けてウソをついた。日本に恥をかかせた。恥ずべき政権です。

加えて強調すべきは、岸田政権のバランス外交なるものを、メディアも「専門家」も正当化し擁護するわけですが、実は結果が全く伴っていないという現実です。

岸田政権は、「日本はエネルギー安全保障のために欧米とは一線を画したバランス外交をやるんです！」という。

メディアも「専門家」も、「そうだ！　バランス外交こそが最善だ！」とよいしょする。

では、これによって日本の国益は確保されているのか？　エネルギー安保はうまく行っているのか？　要するに、アラブ諸国のご機嫌はうまくとれているのか？

答えはもう出ています。全くうまくいっていない。むしろ失敗している。

そもそも、アラブ諸国は日本がイランと「伝統的な友好関係」なるものを持っていること自体に批判的です。

サウジのメディアは、上川外相がイラン外相に「お願い」電話をしたと報じたXのポストに、岸田首相とイラン外相がにっこり握手をする写真を皮肉混じりに掲載しました。

アラブ諸国は、安保理でロシアが提出した停戦決議に日本が反対したことも批判し、10月27日に国連総会の緊急特別会合で、ヨルダンが取りまとめた人道目的での休戦などを求める決議で日本が棄権したことについても批判している。アラブ諸国は、日本に即時停戦を呼びかけるよう要求しています。

要するに、岸田政権はバランス外交をやったことで中東諸国に嫌われた。これが結果です。想定した結果が伴っていないのだから、バランス外交は失敗です。バランスを取ることを目的とした結果、アラブ諸国に嫌われた。この現実を受け止めてバランス外交なるものを再考しない限り、日本の外交はますますドツボにハマります。

ところが、岸田政権も外務省も、そして「専門家」も、バランス外交が失敗したという事実を認めない。

「専門家」である東京大学先端科学技術研究センターの池内恵教授は、日経新聞の記事の中で、日本にとっての中東の重要性についてこう解説します。

〈中東での日本の利益はまず湾岸諸国の石油・天然ガスの安定供給だ。情勢が不安定化しかつてのオイルショックのような事態になることが日本にとって最悪のシナリオだと考える。現在はイスラエルと友好関係にある国には石油を売らないという禁輸措置をアラブの産油国がとることはなさそうだが、イスラエルとパレスチナの紛争が地域に拡大し石油の供給が滞ることを日本は回避したい。〉

一見、まともな主張のようですが、意味不明です。オイルショック当時、イスラエルとアラブは敵対していた。しかし今は、イスラエルとアラブ諸国の多くは国交正常化しています。自分たち自身がイスラエルと「友好関係」にあるのに、イスラエルと「友好関係」にある国に石油を売らないというのは、意味不明です。

池内氏は、「禁輸措置をとることはなさそうだが」とわかったようなことを言っているが、その後に、「イスラエルとパレスチナの紛争が地域に拡大し石油の供給が滞ることを日本は回避したい」と不可解な論を展開して、読者の不安を煽っている。

この紛争が地域に拡大するというのは、具体的にどこにどのように拡大するというのか？　アラブ諸国がハマスの側に立って参戦する理由は一つもない。こんなことをしても、アラブ諸国は損をするだけで、何一つ得にならない。

イランがハマスの側に立って参戦する可能性もほとんどない。そんなことをしたら、イランの現体制をアメリカが放置するわけがないからです。

アラブも参戦しない。イランも参戦しない。にもかかわらず、池内氏は、これを「日本は回避したい」という。日本が何かすれば、最悪の状況は防げるのだと、日本に何かとんでもない力があるかのように主張している。だからこそ日本は、これまでのバランス外交を続けなければならないという主旨です。意味がわからない。

日本にそんな力はありません。日本が何もしなくても、この紛争は地域に拡大しないし、石油の供給量も減らない。

というかそもそも、石油の供給量を増やさないというのが、今回の紛争発生以前からの産油国の方針です。ＪＯＧＭＥＣ（エネルギー・金属鉱物資源機構）の分析（２０２３年11月７日）にもあるように、原油価格の上昇も限定的です。

池内氏は、事実を隠し、存在しない危機を煽り、結果として明らかに失敗しているバランス外交を続けるべきだと主張する。これこそ、「亡国専門家」です。

池内氏は、「今の地域情勢に日本がすべきことは」という質問に、次のように回答している。

〈イスラエルのガザ攻撃には国際法秩序から逸脱しているとの批判が強い。イスラエルを全面的に擁護する米国が孤立している。〉

池内氏は、「批判が強い」という言葉で主語をぼやかし、イスラエルは国際法に違反していると一方的に非難する。というか、自分の「専門家」という立場を利用して断定している。また、アメリカが「イスラエルを全面的に擁護している」という表現で、アメリカはイスラエルの国際法違反も見逃しているのだと仄めかす。

これも、彼の得意ないつもの藁人形論法です。アメリカもイスラエルには国際法遵守を求めているし、イスラエルも国際法を遵守して作戦を行っていると主張し、その証拠を示している。

にもかかわらず、池内氏は「国際法違反をし暴走しパレスチナ人を虐殺するイスラエル」という印象操作に躍起になる。ついでに、それを丸ごと擁護する「悪の帝国アメリカ」という印象操作にも勤しむ。

池内氏は、「中東諸国の意見も取り入れ、ルールに基づいた国際秩序を維持するように方向付けていかなくてはいけない」というが、日本にはそんな能力も実力もない。率先してテロ組織ハマスに忖度し、中東諸国にバカにされ、G7からも除け者にされている日本が、いったいどうやって「ルールに基づいた国際秩序の維持」なんて方向付けられるのか？　日本自身がルールをガン無視し、国際秩序より国際法よりテロ組織への忖度を優先しておいて、何を言っているのか？　全く意味がわからない。

池内氏は最後にこう言っている。

〈G7で唯一の非西洋国として日本はG7以外の台頭する国々との必要不可欠な仲介役になれる位置にあるが、これを有効に使えていない。〉

出ました、「G7で唯一の非西洋国として日本はG7以外の台頭する国々との必要不可欠な仲介役になれる」説。外務省のお決まりの文句です。日本のバランス外交の理念の提要です。

しかし、これはウソです。日本は仲介役になどなれない。仲介役を果たしたためしがない。一つも結果は出せていない。

いまだかつて仲介役など果たしたことがないのに、「日本は仲介役ができる！」と言い続けているのが外務省であり、それを理論的に支えているのが池内氏のような「専門家」です。外務省から補助金を得ている池内氏が、外務省の御用学者として機能しているのは明らかでしょう。

日本が仲介役など果たせないことを証明した一人が、安倍元首相です。アメリカの元国務長官であるポンペオ氏は自身の回顧録 *Never Give an Inch* で、安倍氏がアメリカのイラン核合意からの離脱と対イラン制裁再開に不満を抱いていたと述べています。日本は大量の資源を中東から輸入しなければならない。だからイラン制裁強化が日本のエネルギー安全保障を脅かすと安倍氏は危惧した。

日本の外務省、政権は今も、イラン核合意は正しい、イラン核合意こそが日本の利益だと信じ込んでいる。だから、核合意を破棄し、イランに対する制裁を再開したトランプ政権に不満だったのでしょう。

安倍氏は自ら、アメリカとイランの仲介に乗り出します。アメリカの同盟国であり、なおかつ、イランと「伝統的友好関係」にある日本ならば、両国を仲介できると彼は思っていた。というか、そのように外務省に吹き込まれたのでしょう。

安倍氏はポンペオ氏に電話をかけ、イラン行きについて相談した。ポンペオ氏は、仲介してくれるのは嬉しいけれど、トランプ大統領はイランに譲歩することはない、と言って暗に制止した。

しかし、安倍氏はイランに行った。２０１９年6月のことです。そして、イランの最高指導者ハメネイと会談した。

同日、イランはオマーン湾で日本のタンカー「コクカ・カレイジャス」を複数回攻撃し、船体が大きく破損した。

これについてポンペオ氏はこう振り返ります。

〈イランはまさにその日、オマーン湾で日本の船を攻撃することによって、安倍首相に『感謝』した。安倍首相はすぐに合意の仲介をやめ、私の制止サインを無視したことを謝罪した。彼はアーヤトッラー（イラン最高指導者）に対し、宥和政策はうまくいかないことを学んだのだ。〉

安倍氏が全力を尽くし、自ら行動を起こしても、日本はイランとアメリカの仲介役などできなかった。イランは、日本のタンカーを攻撃することで、お前は敵国なのだとメッセージを送ってきた。これが現実です。

安倍氏が「学んだ」はずのことを、日本の外務省と政府と「専門家」はなかったことにし、今もなお「イランは伝統的友好国」「バランス外交こそ最善」「日本はG7唯一の非西洋国として仲介役ができるはず」云々と主張し続けている。

はっきり言いましょう。日本の対イラン宥和外交は亡国外交です。

日本の「伝統的友好国」であるイランは、イスラム過激派テロ組織ハマスに資金と武器を提供して、主権国家イスラエルを攻撃させ、民間人を大虐殺させている。

日本の「伝統的友好国」であるイランは、国連安保理常任理事国であるロシアに武器を提供して、主権国家ウクライナに軍事侵攻するのを助けている。

日本の「伝統的友好国」であるイランは、イラン国民を抑圧し、女性や少数派を弾圧し、命を奪っている。

日本の「伝統的友好国」であるイランは、日本の隣国であり核兵器を保有する中国、ロシア、北朝鮮と「連帯」し、日本への圧力強化に協力している。

世界の秩序を破壊し、民主主義を破壊し、人の命を奪い、尊厳を奪い、人権を奪っているのが、日本の「伝統的友好国」イランです。日本は、イラン宥和政策を続けることで世界の秩序を危うくさせ、民主主義を危うくさせ、自国の安全保障も危うくさせている。日本は、イランを「伝統的友好国」と呼び続けることで、日本にとっての脅威、世界にとっての脅威であるイランを増長させている。こんな愚策はありません。本来、専門的見地から政府の過ちを正すべき「専門家」が、カネの力で政府の「ポチ」に成り下がっているのも、実に嘆かわしい。

イラン宥和政策には、日本の国益に資するところが一つもない。日本の国益を損ねる方向にしか働かない。日本だけでなく、全世界的な悪影響を増大させている。

日本が自国に対する中国、ロシア、北朝鮮の攻撃、敵対行為を抑制するためにできることの一つは、対イラン宥和政策を転換することです。イランの引き起こす中東の混乱は、アメリカを中東に引きつけるための中国、ロシアの戦略でもある。台湾制圧を目論む中国と、ウクライナ制圧を目論むロシアにとって、イランは格好の「めくらまし」です。

日本は日本の安全保障のため、そしてインド太平洋地域の安定と台湾有事抑止のために、「イランは伝統的友好国」とか呼び続ける愚かな宥和政策をやめ、欧米諸国と協力してイランへの圧力をかける必要があるはずです。

（2023年11月12日）

第3章　イスラム過激派テロ組織ハマスの正体

第1節　ハマスはなぜジハードを世界に呼びかけるのか

ハマスがジハードへの総動員を世界に呼びかけ

２０２３年10月7日に、イスラエルに対して過去最大規模のテロ攻撃を仕掛けたハマスは、13日の金曜日、ハマスの海外部門の指導者であるハーリド・マシュアルが、アクサーTVやマハリーヤTVなどに出演し、世界中にいるイスラム教徒に対し、ジハードのための総動員を呼びかけました。同時にハマスの本部も、13日の金曜日に声明を出し、総動員を呼びかけました。

◎世界中のイスラム教徒に対し、ジハードへの総動員を呼びかける。
◎命を犠牲にするジハードだけでなく、カネによるジハードでもＯＫだ。
◎特にアラブ人イスラム教徒たちはパレスチナに向かえ。
◎イスラム諸国も我々と共に立ち上がって戦うべきだ。
◎血を流すことを厭わないイスラム教徒たちの車列がパレスチナに向かえば、戦況は変わるだろう。
◎ジハード戦士たちが流血を始めれば、戦況が変わるだろう。
◎世界中のイスラム教徒は、10月13日金曜日にあらゆる都市で、街頭や広場に繰り出し、あらゆる場所で怒りを示せ。

マシュアルやハマス本部は、世界中の人々に対してこのような呼びかけをしました。

マシュアルやハマスの声明は、10月7日に開始した大規模テロ攻撃を「歴史的偉業」「勇敢な抵抗」と呼んで絶賛しています。赤ちゃんを斬首し、妊婦のお腹を切り裂いて胎児を引きずり出し、民間人を生きたまま焼き殺すことが「歴史的偉業」で「勇敢な抵抗」だというのだから、驚きます。

彼らは我々日本人とは価値観を共有していません。我々にとってどんなに非人道的な残虐行為も、彼らは、これは「パレスチナ解放」という目標のためにやっているわけだから、すべてが正しい行為なのだと信じている。ハマスの幹部は、「我々の行為はすべて正当化される」と豪語しています。

ハマスはこれをジハードと呼んでいる。神の名の下における聖なる戦いです。ジハードの下にはあらゆる行為が正当化されます。

彼らはこのジハードを、世界に拡大させることを狙っています。アラブ・イスラム諸国が国家としてイスラエルに宣戦布告してくれることを期待している。それが無理だとしても、世界中にいるイスラム教徒が、それぞれに立ち上がるに違いないと願っている。できるだけ多くのイスラム教徒に、今、パレスチナに来て、ジハードに加われと呼びかけたのです。車に乗って来てもいい。飛行機に乗って来てもいい。飛行機でテルアビブに乗り付けて、そこで攻撃をするのも、もちろんジハードです。

実は2006年にも、デンマークでムハンマドの風刺画が新聞に掲載されたことに対し、イスラム過激派が、「街に出て怒りを示せ！」と世界中のイスラム教徒に呼びかけたことがありました。

呼びかけたのは、ハマスの母体であるムスリム同胞団のイデオローグだったユースフ・カラダーウィーです。その時は、まだSNSはなかった。彼はカタールの衛星テレビ「アルジャジーラ」に出演して、「預言者ムハンマドの風刺画に対する怒りを示せ！　次の金曜日を怒りの金曜日にするのだ！」と総動員を呼びかけた。

金曜日の昼間、モスクに集まり、説教を聞き、礼拝をした後、デモに繰り出す、というのがイスラム教徒の慣例です。

平和的なデモならいいのです。しかし、この時は、世界の30以上の都市で、イスラム教徒が暴動を起こし、風刺画を掲載したデンマークの大使館や領事館が襲撃され、世界で数百人の死者が出る事態に至りました。

ハマスはムスリム同胞団のガザ支部です。やり方は同じです。めざすものも同じです。彼らがめざすのは、イスラム革命であり、全世界のイスラム化です。

まずはイスラエルを殲滅し、そこにイスラム国家を建設する。それが当座の目標です。

（２０２３年10月13日）

ハマスと「イスラム国」の呼応型テロという共通点

ハマスが10月13日金曜日の総動員を呼びかけると、フランスのアラスにある高校では、チェチェン系の男がナイフで教師を刺し殺すというテロ事件が発生しました。

フランス政府は、これをテロだと認定しました。現場を訪れたマクロン大統領は、「イスラム主義者によるテロの蛮行」と非難し、ダルマナン内相も、イスラエルとハマスとの対立と関連があるとの見方を示しました。要するに、ハマスの総動員令、一斉蜂起に呼応したテロだと見たわけです。

このパターンはイスラム過激派テロ組織「イスラム国」の場合とよく似ています。「イスラム国」は度々、世界中の支持者に対し、立ち上がれ、どんな形でもいいから敵を攻撃しろ、殺せと呼びかけている。銃を持っている必要はない、車で轢き殺してもいい、毒を盛ってもいい、ナイフなら誰の家にでもあるだろうなどと言って、「お手軽」に実行できるテロの方法を具体的に提示する。これに呼応して、世界各地で時折テロが発生する。

彼らは別に「イスラム国」の成員や正式なメンバーである必要はない。「イスラム国」の呼びかけに応じてはいても、彼らはそれを必ずしも「イスラム国」のメンバーとして実行しているわけではなく、一人のイスラム教徒として、その行いが正しいと信じ、実行している。

そこには組織の力も、上からの命令も何も必要はない。個々のイスラム教徒の持っている信仰心に訴え、「アメリカに虐げられている我々イスラムの同胞の恨みを果たすのだ」「我々には欧米に報復する権利がある」「アメリカは我々の子供を殺した」などと言ってちょっと背中を押せばいいだけです。

今回のフランスのテロを実行したチェチェン人も、おそらくそのような感じなのではないかと推測します。彼は別にハマスの正式なメンバーである必要は全然ないわけです。「パレスチナの大義」を掲げ、占領者イスラエルに一矢報いるのだという気持ちで臨めばいい。ナイフなら入手するのも簡単です。

首を切って殺したスタイルもまさに、「イスラム国」式です。イスラム過激派は、敵の頸動脈を切ることで、相手を清浄にした、清めたと考える。これは、イスラム教徒が動物を屠殺する時に頸動脈を切るのと同じです。

「イスラム国」式の呼応型テロをハマスも引き起こすことができる、と証明したのが今回のテロです。

中国でもイスラエル人外交官が滅多刺しされました。同じような背景があるかもしれませんが、何しろ中国なので、中国の隠したい情報は明らかにはされないでしょう。

世界では呼応型テロ以外に、広場や街頭にパレスチナの旗を掲げた人が大量に集まり、ハマスの「作戦」の成功を祝っています。はっきり言えば、彼らはハマスのテロが成功したことを祝福しているのです。

（2023年10月14日）

ハマス、アルカイダ、「イスラム国」、一斉にテロ呼びかけ

「ガザの病院が空爆され500人が死亡した！　イスラエルがやったんだ！」というフェイクニュースが拡散されると、世界各国、特に中東諸国で、アメリカ大使館や領事館、米軍基地、イスラエル大使館、イギリス大使館などに群衆が押し寄せ突入したり、放火したり、ドローン攻撃したりといった事態が発生しました。

ハマスはテロをやることで、イスラム教徒の怒りに火をつけ、世界中で暴動やテロを引き起こし、世界の秩序を転覆するイスラム革命へとつなげることをめざしています。だから、総動員をかけ、世界中のイスラム教徒に怒りを示せ、立ち上がれと呼びかけている。

しかもこれを呼びかけているのは、ハマスだけではありません。アルカイダもハマスのテロを称賛し、世界中で米国権益を攻撃するよう、呼びかけています。

これについては日本の外務省も、「イスラエル・パレスチナ武装勢力間の衝突に伴うテロの脅威に関する注意喚起」（2023年10月14日）で、「今般のイスラエル・パレスチナ武装勢力間の衝突を受け、アル・カーイダは、米国の基地・空港・大使館などをあげ、イスラエルを支援し兵器を提供する者を標的にするよう呼びかけています」と発信しています。

加えて「イスラム国」も、あらためて「十字軍連合国」への攻撃を宣言しています。これは10月17日にベルギーのブリュッセルで発生したテロ事件についての犯行声明ですが、これ

をやったのは「イスラム国」の戦士だと認め、今後はますます激しい攻撃を十字軍連合の諸国は覚悟しろと、そう書かれています。ここにはもちろん日本も含まれています。

ハマスとアルカイダと「イスラム国」は別組織ですが、目的とイデオロギーは大幅に共有しています。彼らの目的は、世界をイスラム法によって統治する巨大な一つのイスラム国家にすることです。全世界をイスラムによって支配するのが彼らの共通目的です。

彼らが立脚するのはもちろん、イスラム教の教義です。だからこそ、彼らがこうした呼びかけをすれば、それは全世界のイスラム教徒に届く。別にハマスやアルカイダや「イスラム国」のメンバーである必要は全くないのです。

彼らの主張の根幹にはイスラム教の教義がある。だから、すべてのイスラム教徒の心に刺さる。彼らの「攻撃せよ」「ジハードせよ」のメッセージに呼応し、一人でも実行すれば、それは大惨事になり、世界に恐怖を与えることができる。

ブリュッセルでイスラム過激派テロが発生した。フランスのアラスでもイスラム過激派テロが発生した。トルコはNATO加盟国ですが、イスタンブールではイスラエル領事館が襲撃され、レバノンのアメリカ大使館には放火され、イラクの米軍基地にはドローンが飛来し米軍が撃墜した。イスラエル大使館やイスラエル人、ユダヤ人も世界各地で攻撃されています。中国ではイスラエル人外交官が何者かに滅多刺しにされた。

テロの背後には必ずテロ組織があって、そこには指揮命令系統や計画があると考えるのは間違いです。イスラム過激派テロは、思いついたら誰でもできる。ナイフ一本あれば、あるいは車があれば、誰でもできるわけです。実際、アルカイダや「イスラム国」は、ナイフや車で敵を殺せと呼びかけている。

問題は、テロをやるという、その一線を、いったい誰がいつ越えるのかが、誰にもわからないことです。本人にもわからない。急にやろうと思い立ってやる場合があるわけです。しかし、その根幹には必ず信仰があるのです。

（2023年10月18日）

第2節　ハマスとはどんな組織か

ハマスは2007年に武装蜂起しガザを実効支配

ガザを支配しているハマスは、イスラム諸国の多くにとってもやっかいなイスラム過激派テロ組織です。

ハマスは、エジプトで発祥した元祖イスラム過激派テロ組織ムスリム同胞団のガザ支部として設立されました。ムスリム同胞団は、あらゆるイスラム諸国がそのテロに苦しめられてきたところの、アルカイダや「イスラム国」のイデオロギー的ルーツでもあります。

イスラム諸国はパレスチナ人を支援し、「パレスチナの大義」、つまり、パレスチナ国家建設を支持しますが、彼らはそれとハマスをきっちり分けて認識しています。また、彼らは、イスラエルがガザでハマスのインフラをピンポイント爆撃していることも知っています。だから、巻き添えなどによってガザの人々が死んだり、人々の家が破壊されたりすることは非難しますが、ハマスへの攻撃については、内心ではむしろ応援しているのです。

そもそも、ハマスはなぜガザを実効支配しているかというと、元々、ガザの治安維持を担当していたパレスチナ自治政府の治安部隊と「戦争」をし、2007年に武力によって追い出したからです。

その前年、2006年に実施されたパレスチナ評議会選挙では、ハマスはパレスチナ自治政府主流派のファタハに勝利していました。なぜかというと、主な理由の一つは、ファタハの支配するパレスチナ自治政府が汚職まみれだったからです。

人々は、「汚職まみれのファタハ」と「血気盛んな武装勢力ハマス」を天秤にかけ、後者を選んだわけです。

しかし、ハマスは、2006年の選挙に勝利したのでガザを統治しているのではなく、あくまでも武装蜂起によってガザを占領し、実効支配しているテロ組織です。国際社会がパレスチナの代表として承認しているのはパレスチナ自治政府であり、ハマスはテロ組織です。政党を作り、選挙活動をしたからといって、ハマスがテロ組織であるという本質に変わりはありません。地下鉄サリン事件という凄惨なテロ事件を起こしたオウム真理教も、政党を作り、政治活動をしていました。

ハマスの「テロ組織だけど政治活動もやる」スタイルの、より成功した事例を、レバノンのイスラム過激派テロ組織ヒズボラに見ることができます。長らくヒズボラは、「自分たち、武装勢力も持ってますが、基本的に真面目に政治やってます」と主張し、国際社会もそれを真に受けて鵜呑みにしてきたわけですが、近年ようやく、「あれ？　でも政治部門とかいうのを隠れ蓑にして、資金洗浄やテロをやってますよね」ということに気づき、ドイツやオランダなどがヒズボラの「全体」をテロ組織指定するようになりました。

（2021年5月18日）

ハマスはエジプトのテロ組織ムスリム同胞団のガザ支部

エジプトは、イスラエルとハマスの衝突、およびハマスとファタハの衝突の時に、仲介者の役割を果たすことで知られています。これらの紛争を仲介することができる、というのは、アメリカをはじめとする国際社会に対してアピールできるエジプトの強みです。

エジプトは、ハマスと話をする「パイプ」を持っています。なぜなら、ハマスが実効支配するガザはエジプトと国境を接しており、そこにあるラファ国境をエジプトが閉めてしまうと、物資の搬入や人の往来などにおいてハマスは非常に困るからです。

「イスラエルはガザを封鎖している！」と非難する人が多くいますが、ガザを封鎖しているのはイスラエルだけではなく、エジプトも封鎖しているのが現実です。ところが、彼らは無知なのか、「エジプトがガザを封鎖している！　ひどい！」とエジプトを攻めることは決してありません。

エジプトがラファ国境の開閉を規制し、ガザを封鎖しているのは、ガザを支配するハマスが、エジプトで設立されたイスラム過激派テロ組織ムスリム同胞団のガザ支部だからです。

ハマスは概ね便衣兵であり、かつ子供にも憎悪教育を施し、女性もイスラム過激派思想で洗脳していますから、老若男女を問わず、誰がハマスなのか、全く見分けがつきません。だから、誰がテロリストだかわからないガザのパレスチナ人は入国させない、というのがエジプトの基本方針です。

だからといって、ラファを完全に閉めてしまっては、パレスチナ人がかわいそうだし、しかも、ガザに嫁いだエジプト人もたくさんいるので、そういった人に対しては国境を開放し、入国を認めています。

パレスチナ人はかわいそう、だけどハマスはテロ組織。これがアラブ諸国一般の認識です。

（2021年5月21日）

第3節　ハマスはなぜイスラエルにロケット弾を撃ち込むのか

ハマスがイスラエルにロケット弾を撃ち込む理由

パレスチナのガザ地区を実効支配するイスラム過激派テロ組織ハマスは、イスラエルに対して度々、無差別テロ攻撃を仕掛けてきました。

2021年5月、ハマスは、イスラエルに1000発ともされるロケット弾を撃ち込みました。そのうちの一発はイスラエル人の乗った車を直撃し、乗っていた40代の男性と娘の7歳の少女が死亡しました。彼らはアラブ系イスラエル人でした。

しかし、ハマスがロケット弾によるこのような無差別テロ攻撃で罪のない一般のイスラエル人を標的にするのは、単にイスラエル人を殺傷するためだけではありません。ロケット弾攻撃によりハマスは、大きな報酬を得て、多くの目的を達成することができるのです。

だから、彼らはイスラエル人に投石したりして騒動を起こし、イスラエル当局に報復されると、なぜか被害者ヅラをしてロケット弾を撃ち込む、という一連のお決まりのサイクルから抜け出すことができないのです。

では、ロケット弾攻撃でハマスが得られる大きな報酬とは何か。それは、次の2点です。

① パレスチナ人からの信頼と支持
② 国際社会の支持とカネ

まず、①ですが、この時の騒動では、ラマダン月が始まってからエルサレムや東エルサレムのシェイフ・ジャッラーフ地区で発生していたイスラエル人とパレスチナ人の間の小競り合いにハマスのメンバーが参入し、それを乗っ取りました。

すると、もう20年以上姿を見せていないハマスの影の指導者と呼ばれるムハンマド・ダイフが突如、音声声明を発表しました。イスラエルがシェイフ・ジャッラーフのパレスチナ人数十人の立ち退きの脅しを実行するならば、ハマスは「何もせずに傍観することはなく、敵は重い代償を払うことになる」という「明確な最終警告」を出したのです。

死んだかも？　と言われていた伝説の存在であるダイフが急に声明を出したので、パレスチナ人たちは一挙に「オレたちみんな、ムハンマド・ダイフ！」などと叫んで盛り上がり始め、エルサレムにもハマスの旗を持った人々が現れました。

ハマスはシェイフ・ジャッラーフの問題を、千載一遇のチャンスと考えたのでしょう。そして、それはまんまとうまくいきました。

ハマスの影響力はエルサレムでは非常に限定的です。ですから、エルサレムでパレスチナ人がハマスの旗を掲げ、ムハンマド・ダイフの名を叫ぶようになる、というのは、それだけでもものすごい成果なのです。

それが五月雨《さみだれ》式のロケット弾攻撃につながります。

ハマスは、パレスチナ人の中で、「唯一、口だけでなく実力でイスラエルに立ち向かってくれるパレスチナの代表者」という信頼と支持を獲得することに成功したのです。

ハマスの短期的な目的は、パレスチナの正当な代表者としての地位を獲得することです。

しかし、4月末にパレスチナ自治政府のアッバース議長が勝手に選挙の延期を発表したことにより、選挙でその地位を獲得するチャンスを失ってしまいました。ですが、五月雨式ロケット弾攻撃により、パレスチナの人々の「口だけで何もしないアッバース」への信頼と支持はより一層ダダ下がりし、そのぶんハマスが株を上げたと言えます。

もちろん、これによりイランやカタールといった世界のテロ支援国家からの評価も高まり、たくさんの資金を集めることもできるようになるわけです。

次に②ですが、これは日本や世界のメディアの報道を見てみればよくわかります。日本のメディアは、ほとんど圧倒的にパレスチナ寄りであり、ハマス寄りです。彼らは、ハマスとパレスチナを当然のように同一視し、それが過ちであり問題であると気づきません。

ハマスのロケット弾攻撃や、それによるイスラエル側の被害を無視、あるいは軽視し、パレスチナ人側の被害を強調、そしてハマスの蛮行については非難しません。

日本のメディアのパレスチナ報道は、トルコやイランのパレスチナ報道、あるいは米「ニューヨーク・タイムズ」紙やCNN、英「ガーディアン」紙やBBCなどの欧米リベラル・メディアの報道にそっくりです。

彼らはハマスを、占領者イスラエルという「圧倒的な力を持つ悪の帝国主義国家」に対し、「弱者パレスチナのために命をかけて戦う正義の抵抗者」と位置付けます。だから、ハマスのロケット弾攻撃は客観的には無差別テロであるにもかかわらず、それを無差別テロだと非難することも、国際法違反だと非難することもありません。むしろ、それは「正義の抵抗運動」なのだと暗に支持します。

要するに、ハマスがロケット弾を撃ち込めば撃ち込むほど、メディアは盛り上がり、ハマスを擁護、支持するわけです。そして、この報道がハマスに対する国際的世論の支持を高め、ひいてはハマスが正当なパレスチナの代表として国際的に認められる素地を作るわけです。「かわいそうなパレスチナ」を強調すればするほど、パレスチナへの支援金は増える。その一部はハマスの懐に入る。

日本でも多くの人が、パレスチナ問題について、「イスラエルが悪い」と思っていることでしょう。パレスチナ側に何か悪いところがある、と思っている人はほとんどいないと思います。これはすべて、メディアの偏向報道の成せるわざです。ハマスのテロを非難せず擁護するメディアは、ハマスのテロの共犯者です。

ハマスは、ロケット弾を撃ち込むことにより、イスラエル人を殺傷したり建物を破壊したりする以上の、非常に大きな報酬、報いを得ることができます。戦闘に負けて、戦争で勝つのがハマスの戦略です。だから、彼らはロケット弾攻撃をやめないのです。

（2021年5月12日）

ハマスのロケット弾はパレスチナ人も殺している

イスラエルに対する「抵抗運動」を自称し実践しているハマスですが、実は、ハマスは自らのロケット弾でしばしばパレスチナ人を殺しています。地中から掘り出した水道管などを材料とした「手作り」のロケット弾は、飛距離が足りなかったり、途中で分解したり、あらぬ方向に飛んでいって着弾することがしばしばあるからです。

２０２１年５月にハマスはイスラエルに１０００発ともされるロケット弾を撃ち込みましたが、イスラエル外務省は、ハマスが発射したロケット弾の４分の１はガザに着弾し、パレスチナの「子供や女性」を殺したと発表しました。

米国のユダヤ人向け新聞「アルゲマイナー」紙は、ハマスがロケット弾攻撃を開始した日には、イスラエルが空爆による対抗措置を開始する前に、すでにハマスの誤射でパレスチナ人17人が死亡した、と報じました。つまり、イスラエルが殺したとされる子供たちは、実際にはハマスが殺した可能性も高いわけです。これは、イスラエルを一方的に非難し、ハマスを擁護する人や団体、朝日新聞や毎日新聞、ＮＨＫなどのメディアが決して伝えない事実の一つです。

また、ハマスは、戦闘員が身を隠したり、武器を隠したり、持ち運んだりするのに使うテロ・トンネル網をガザの地下に張り巡らせているのですが、その入り口を学校や病院などに作っています。つまり、彼らは、「虐げられたかわいそうなパレスチナの子供」を護っているのではなく、自分たちの「隠れ蓑」、「人間の盾」として利用しているのです。

彼らは、ロケット弾の発射台や武器庫も学校や病院、住宅地に作ります。それらは、イスラエルの爆破対象になることをわかっていて、わざとそうしているのです。このことからも、彼らが市民を守るのではなく、市民を自分たちの攻撃に利用していることは明らかです。

朝日新聞は、「海外メディア入居のビル、イスラエル軍が空爆　ガザ地区」（清宮涼、2021年5月16日）という記事で「市民の犠牲が増え続けるなか、イスラエル軍への批判の声がさらに高まりそうだ」と報じました。

イスラエル軍は、ガザにあるアルジャジーラやAP通信の支局の入ったビルを爆破しましたが、これも、こうした民間の建物をハマスが拠点として利用しているからです。イスラエル軍は、メディアを攻撃したわけではなくハマスの拠点を攻撃したと述べており、また、爆破の1時間前にジャーナリストたちには退避を呼びかける連絡を入れていたことも明らかになっています。

ちなみに、アルジャジーラはカタールの放送局で、カタールはハマスの大口資金提供者です。そして、アルジャジーラは2001年のアメリカ同時多発テロ（911事件）を実行したアルカイダの創設者ウサマ・ビンラディンへの独占インタビューで有名になった経緯からも明らかなように、当初からテロ支援チャンネルであり、以前より反イスラエル、親ハマスの偏向報道で知られ、今も絶賛偏向報道中です。

（2021年5月16日）

ハマスのロケット弾体験記

ハマスは、2014年にもイスラエルに対する無差別ロケット弾攻撃を行ったのですが、私はその時たまたま3歳の娘と一緒にイスラエルのテルアビブに滞在しており、ロケット弾攻撃を体験することになってしまいました。当時、私はエジプトに住んでおり、しばしばイスラエルを訪問していたのです。

イスラエルには、街の至る所にシェルターがあります。というか、シェルターの設置が義務付けられています。ハマスがいつロケット弾を撃ち込んでくるかわからず、その危険性が常にあるからです。日本語で「ロケット弾」と聞くと、おもちゃのような軽いイメージを受けたり、ともするとアニメ『ポケットモンスター』に登場する「ロケット団」を想起するかもしれませんが、これはロケットで推進する爆弾であり、人を殺し、建物を破壊する歴とした兵器です。

ロケット弾が発射されるとレッドアラートという警報が発令され、サイレンが即座に街中に鳴り響きます。スマートフォンにレッドアラートのアプリを入れておくと、そちらも即座に反応します。ラジオやテレビでも、もちろんすぐに警報が流されます。

それを聞いたら、一般人はすぐさま避難しなければなりません。自宅にいる場合には自宅のシェルター、店にいる場合には店のシェルター、道にいる時には近くのシェルター、近くにシェルターがない場合には壁側に寄り頭を低くして伏せるのがルールです。

私は娘とホテルに宿泊していました。夜、寝ている間もサイレンは鳴ります。だから、娘を起こして避難しなければなりませんでした。

高層ホテルだったので、避難場所は非常階段と指定されていました。高層の建物の場合、ガザから最も離れた角に非常階段が設置され、そこが避難場所になることが多いのですが、非常階段に逃げてから、「出ていい」と言われるまで待ちます。夜なので、みんな寝巻き姿でした。

娘は3歳だったので、一応、自分で歩けましたが、赤ちゃんを抱っこして避難するお父さんや、病人やご老人、障害のある方の苦労は一入《ひとしお》です。

ホテルのレストランでサイレンが鳴った時には、とりあえず端っこに寄って待機するよう指示されました。とにかく落ち着いて、指示に従うのが鉄則です。

また、ロケット弾攻撃中はなかなか飛行機を飛ばすことができません。命中したら撃墜されてしまうからです。ですから、遅延、欠航などがあっても、誰もクレームをつけたりしません。みんな死にたくないし、それが当然だと理解しているからです。シェルターは空港内のあちこちにあります。職員たちも避難し、みんなスマホで、レッドアラートやニュースを確認していました。

イスラエルの人たちは皆、テロに負けてはならないという強い気持ちを持っています。サイレンが鳴れば避難しますが、避難が終了すれば日常生活に戻ります。レストランでは、食事の途中でも避難し、避難が終われば席に戻って食事を平然と再開します。これが彼らのテロとの戦いです。

私はイスラエル、パレスチナ、双方に知人がおり、どちらの言い分ももちろん知っています。その上で、やはりハマスの無差別テロ攻撃を非難しなければならないというのが、論理的な結論です。

（2021年5月13日）

ハマスに武器や金を支援するイラン

ハマスは1日に1000発以上のロケット弾をイスラエルに撃ち込んだり、さらには対戦車誘導弾なども使ったりしていますが、みなさんの中には、「なんでハマスはそんなにいっぱい武器を持っているの？　ガザって封鎖されているんじゃやないの？」と疑問に思う人もいるでしょう。

結論から申し上げましょう。ハマスの武器は、自家製（こういうとパンみたいですが……）か外国製です。それらにことごとく関与しているのが、イランです。

イランは、人口8000万以上で、GDPは約3679億ドル（2023年4月、IMF）というかなりの大国です。中東のあちこちの武装勢力を子飼いにし、武器を与え、資金を与え、強大化させて、その国を乗っ取り、そこからイランの敵を攻撃させています。イランは、イスラエルを殲滅し、米国を打倒することを国家目標として掲げています。

では、なぜ、ハマスの武器にイランが関与していると断言できるかというと、ハマスの高官たちが自ら、あちこちで、何度もそう「証言」し、イランへの感謝の言葉を述べているからです。

ハマスの政治局トップ、イスマイール・ハニーヤは、2020年5月、「イランは経済的にも軍事的にも技術的にも、抵抗勢力への支援と資金提供を怠りません」と述べ、イランがハマスの資金、武器、技術の提供者であると明言して感謝しました。

しかし、封鎖されているはずのガザに、イランはいったいどのようにして武器を密輸してきたのでしょうか。

これについては、ヒズボラ系の新聞が２０２０年に詳細な記事を出しています。記事によると、「パレスチナにあるほとんどすべてのミサイルやライフルにソレイマニの指紋が付いている」のであり、武器をガザ地区に移送するルートの確立を自ら監督したのもソレイマニだとのこと。

ソレイマニというのは、イランのイスラム革命防衛隊クドゥス部隊の司令官カーセム・ソレイマニのことです。彼の任務は、イランで１９７９年に実現された「イスラム革命」を全世界に輸出することでした。２０２０年１月に米軍が作戦によりソレイマニを殺害しましたが、それは彼こそが中東にテロと戦乱を広める元凶だったからです。

ガザへの武器密輸ルートは、イランからペルシャ湾、紅海を経てアフリカのエリトリア、スーダンを通過、エジプトのシナイ半島を経由してハマスやイスラム聖戦に届ける、というものだと同紙は伝えています。

以前から、スーダンにはイランの武器工場があると言われてきました。ヒズボラの指導者ナスララーも２０２１年１月のインタビューで、「イスラエルの戦闘機がスーダンの工場や武器倉庫を爆撃したのは、それらが武器や弾薬、ミサイルの倉庫であり、後に様々な手段でガザ地区に送られるからだ」と述べています。

しかし、２０１４年、エジプトでシシ大統領が就任すると、武器の密輸を厳しく取り締まるようになり、シナイ・ルートが使えなくなった。

そこで、ソレイマニは、海流の方向を確認した上で、スエズ運河を通過する船から樽に入れた武器を海に投げ込み、その樽をハマスやイスラム聖戦のメンバーが沖に出て回収する、という方法を編み出したとのこと。地図を見ると、本当かなあ、と思うルートなのですが、とにかくこの記事にはそう書かれています。

シナイ・ルートが使えなくなった後、ソレイマニはさらに別のルートも編み出しました。先程と同じインタビューでナスラッラーは、自分たちはソレイマニの指令により、シリアのアサド政権がロシアから買ったコルネット対戦車誘導弾をガザのハマスとイスラム聖戦に送った、と述べています。ロシアからシリア、レバノン、そこから海経由でガザということでしょう。

ハマスの背後にはイランだけでなくロシアもいる（注・2022年にロシアがウクライナに軍事侵攻して以来、ロシアを軍事支援しているのもイランです）。こうした事実に照らせば、ハマスというのがどの陣営に属するテロ組織か、というのが見えてくるでしょう。

イランは武器をガザに密輸しているだけでなく、ハマスやイスラム聖戦が自分たちで武器を製造できるよう、技術支援や訓練もしています。

ハマスのガザの指導者ヤヒヤ・シンワールは2019年5月、2008〜2009年にハマスが使用したグラッド・ロケットは地元製で、その技術を発展させてファジュル・ロケットを製造できるようになり、２０１２年、２０１４年にはそれをテルアビブに撃ち込んだと述べ、これらすべてはイランの支援を受けてのことだ、と述べました。

つまり、私が２０１４年にテルアビブで経験したあのハマスのロケット弾攻撃は、おそらくイランの支援でハマスがガザで作ったファジュルという名のロケット弾だったということです。

イランは武器や、武器を作る技術をハマスやイスラム聖戦に供与しているだけではなく、もちろんお金も供与しています。

アメリカのシンクタンクの民主主義防衛財団（ＦＤＤ）が２０１８年１月に公開したリポートによると、イランは年間１６０億ドル以上を外国の「抵抗運動」組織（という名のテロ組織）やシリアのアサド政権に供与しており、うち１５０億ドルはアサド政権、ヒズボラに７～８億ドル、ガザのハマスとイスラム聖戦に１億ドルとされています。

１億ドルのうち、ハマスの取り分は７０００万ドルでイスラム聖戦は３０００万ドルともされています。

２０２１年には、イスラエルの民放「チャンネル12」が、イランはハマスに毎月３０００万ドルの資金援助を行うことに合意したと報じました。これまで年間７０００万ドルだったのが、５倍以上の年間３億６０００万ドルになるということですから、かなりの大幅増額です。

２０２１年はバイデン氏が米大統領に就任した年です。バイデン政権はイランへの制裁を緩和した。イランのハマスへの支援金が大幅に増した背景です。

他方、イラン統計センターが２０２０年９月に公表した報告書によると、イラン人の約半数が貧困ライン以下で生活しているとされています。国民の半数以上が貧困ライン以下の生活をしているのに、外国のイスラム過激派テロ組織への資金援助は大幅増額する。これがイランという国です。

では、なぜそこまでイランはハマスやイスラム聖戦に肩入れするのか。なぜなら、憎きイスラエルを殲滅することが、イランという国の国家目標だからです。イラン最高指導者ハメネイは、「イスラエルは国ではなくテロリストの基地」と主張し、イスラエル殲滅までジハードを続けろと演説しています。

しかし、イランとイスラエルは結構距離が離れています。だから、イスラエルに接しているガザ地区の「抵抗勢力」であるハマスやイスラム聖戦に、お金や武器をせっせと渡し、自分たちの代わりに戦わせているのです。これがイランの世界戦略です。

要するに、ハマスはガザにおけるイランの出先機関のようなものなのです。それが証拠に、ハニーヤは2021年5月の衝突について、イランのザリーフ外相に「イスラエルとの停戦、どうすればいい?」と相談しています。

私はあちこちで、イランという国のヤバさについて論じてきましたが、パレスチナ問題からもイランのヤバさをはっきりと確認することができます。親日国、とか言っている場合ではないのです。

（2021年5月14日）

ガザ第二のテロ組織イスラム聖戦はイランの代理組織

ガザには、ハマスの他にもたくさんのテロ組織、武装組織があります。ハマスに次ぐ二番目に大きな組織がイスラム聖戦（イスラミックジハード）です。

2022年に、イスラエル軍がイスラム聖戦の司令官をピンポイント攻撃で殺害したことに対し、イスラム聖戦が1100発以上のロケット弾をイスラエルめがけて無差別に撃ち込む事態が発生し、その後、エジプトの仲裁で停戦が成立したことがありました。

このイスラム聖戦について、朝日新聞は、「ガザ空爆の死者15人に 報復の砲弾300発飛ぶ 被害拡大の恐れ」（高久潤、2022年8月6日配信）で、こう説明しています。

〈イスラム聖戦は、イスラエルの「敵国」イランと近いとされる。〉

これはイスラム聖戦の正体をごまかすウソです。イスラム聖戦は、「イランに近いとされる」などというものではありません。イスラム聖戦はイランからカネと武器をもらい、イランの命令の下に動くイランの代理組織です。

これがハマスとは違う点です。ハマスもイランから資金や武器を支援されていますが、ハマスはカタールからも莫大な資金を得ており、ハマスの指導者はカタールに住んでおり、必ずしもイランの直接的な命令だけによって動く代理組織ではありません。

イスラム聖戦がイランの代理組織である証拠はいくらでもあります。イスラム聖戦の事務局長ズィヤード・ナハラは、2021年1月にイランのアルアーラムTVで、次のように語っていました。

〈今日、ガザが手持ちの武器でイスラエルとの長期戦争に立ち向かうことができるのはハッジ・カーセムが、多大な努力をしてくださった結果です。〉

ハッジ・カーセムというのは、2020年に米国の作戦で殺害されたイランの革命防衛隊司令官であるカーセム・ソレイマニのことです。

ナハラによると、ソレイマニは「シリア↓スーダン↓ガザ」という複雑なルートでミサイルや武器をガザに運び込むための綿密な計画を立て、自ら命令・監督することによってその計画を実行し、それが奇跡的に成功したとのこと。

そして、ソレイマニがガザに届けたミサイルは、「テルアビブを攻撃するために使われた」のであり、「パレスチナ人があえてシオニスト国家の首都を攻撃したのは、ハッジ・カーセムが極めて重要な役割を果たしたと言える」とも述べています。

イスラム聖戦は、イランから供給されたミサイルをイランの革命防衛隊司令官の直接的な命令によってテルアビブに撃ち込んだ、というわけです。

これを朝日新聞は、「イランと関係が近い」という言葉で表現している。明らかにおかしい。朝日新聞は隠そうとしているのです、イスラム聖戦がイランの命令でイスラエルを攻撃しているという事実を。

なぜか。それはいつものように、彼らにとっての反米ヒーローであるイランを擁護したいからです。イスラム聖戦は、イスラエルの人口密集地に向けて無差別にロケット弾を撃ち込んでいるのですから、これは明らかに無差別テロです。朝日新聞は、大好きなイランが民間人を標的とした無差別テロをやらせているなどという、そんなことは書きたくない。だから、書かずにごまかしているのです。

しかし、イスラム聖戦とイランはそもそも、互いの関係を隠そうなどという気は全くありません。ナハラは次のようにも言っています。

〈それ以来、パレスチナで兵器が開発され、パレスチナ人は、ハッジ・カーセムの決断によって得た経験をもとに、すべてのミサイルを自分たちで製造するようになったのです。これは偉大かつ重要な一件であり、間違いなくパレスチナの抵抗を強化する役割を果たしました。〉

ソレイマニ先生のおかげで、イスラム聖戦はイスラエルに対して単独で、つまり、ハマスの支援や許可を得ることなくイスラエルを攻撃できるだけの武器を獲得しただけでなく、その武器を製造する技術も獲得したというわけです。

それでせっせと武器を作ってきたから、今回、1100発以上ものロケット弾を撃ち込むことができた。これは重大な事実です。

なお、イスラム聖戦は「聖地」であるはずのエルサレムにもバンバンとロケット弾を撃ち込んでいます。

エルサレムはイスラムの聖地ではありません。そのことは彼ら自身が証明しています。本当に聖地ならばロケット弾を撃ち込むはずがない。特にイスラムをイデオロギーとして掲げている組織がそんなことをするはずがないのです。


（2022年8月8日）

なぜ「聖地エルサレム」にもロケット弾を撃ち込むのか

日本ではメディアでも教科書でも、エルサレムは「ユダヤ教、キリスト教、イスラム教にとっての聖地」と説明されています。

たとえば、朝日新聞は、「(いちからわかる!) 米国が『首都』と認めるエルサレムって?」(2017年12月7日) という記事において、次のように説明しています。

〈約1キロ四方の壁(かべ)に囲まれた旧市街に、古代ユダヤ王国の神殿(しんでん)の一部とされる「嘆きの壁」、イスラムの預言者ムハンマドが昇天(しょうてん)したとされる「岩のドーム」、キリストの墓とされる場所に建てられた「聖墳墓(せいふんぼ)教会」などがある。ユダヤ教、イスラム教、キリスト教の聖地があるんだ。〉

「イスラムの預言者ムハンマドが昇天したとされる『岩のドーム』」とありますが、エルサレムに岩のドームが建設されたのは西暦688年から691年にかけてであり、着工したのはウマイヤ朝の第5代目カリフであるアブドゥルマリクです。

しかし、預言者ムハンマドが死亡したのは632年であり、昇天したとされるのは確実にその前です。つまり、その時には、岩のドームは存在していなかったのです。

歴史的事実はこうです。そもそも、エルサレムはイスラム教の聖地ではなかった。それが時代を経て、特に20世紀にイスラエルが建国されたころから、イスラム教の聖地なのだということになった。端的に言って、これはいわゆる「歴史の捏造」です。

昇天について記したコーラン第17章1節には次のようにあります。

「そのしもべ（預言者ムハンマド）を、（メッカの）聖なるモスクから、われが周囲を祝福した最果てのモスク（アクサーモスク）に、夜間、旅をさせた。わが種々の神兆をかれ（ムハンマド）に示すためである」

このように、コーランには預言者ムハンマドの「夜の旅」の旅程について、「メッカにある聖モスク→アクサーモスク」と言及されています。

しかし、アクサーモスクというのは当時、地上には存在していなかった。だから、当時のイスラム教徒たちは、アクサーモスクというのは天にあるモスクだと理解してきたわけです。「夜の旅」の旅程は、「メッカにある聖モスク→天にあるアクサーモスク」だと理解されてきた。

ところが、預言者ムハンマドの死後、638年にエルサレムがイスラム王朝によって支配され、エルサレムの地にその名もずばり、アクサーモスクというモスクが建設されると、いつのまにか、「夜の旅」は、「メッカにある聖モスク→エルサレムにあるアクサーモスク」なのだという話にすり替わっていった。

しかし、それでは預言者ムハンマドは天に旅行してないことになってしまい、彼が天国や地獄を見て回り、最後に神に会ったという伝承も成立しなくなってしまう。

それでいつのまにか、「メッカにある聖モスク→エルサレムにあるアクサーモスク→天空」

と、実は神は2段階にわけてムハンマドを天に旅させたのだという伝承ができあがったというわけです。

ムハンマドの昇天伝承は、あくまでも伝承であり、それは後代に作成されたものだと明らかになっています。そこに、さらに後になって、だからエルサレムは第三の聖地なのだという「意味付け」が付け加わった。

なぜか。なぜなら、エルサレムはイスラム教徒のものだと主張するためです。これがいわゆる「パレスチナ解放運動」の正当性の源となっているからです。

要するに「エルサレムはイスラム教の聖地」という言説は、政治活動、プロパガンダを正当化するために捏造されたものであり、歴史的事実でもなければ、イスラム教の教義でもないのです。ところが、日本でも世界でも、「エルサレムはイスラム教の聖地」という言説があたかも史実であるかのように扱われている。

そもそも、イスラム教の聖地はメッカとメディナの二つしかありません。メッカ巡礼はイスラム教徒にとっての義務であり、メッカ巡礼時にはメディナを訪問するのが一般的です。だから、イスラム教徒はエルサレム巡礼などしません。そんな義務はないからです。コーランでも、エルサレムなどという地は言及すらされていません。イスラム教の教義はコーランに始まりコーランに終わります。エルサレムが聖地ならば、コーランに言及されていないのはそれだけで十分におかしい。

だからこそ、イスラエル殲滅を誓うイスラム過激派テロ組織ハマスもイスラム聖戦も、エルサレムに向かって平気でロケット弾を撃ち込むのです。

本当にエルサレムがイスラム教の聖地ならば、なぜ、ロケット弾を撃ち込むようなことができるのか、という話です。

エルサレムをユダヤ人から解放せよ！　なぜならエルサレムはイスラムの聖地だからだ！と言いつつ、エルサレムにロケット弾を撃ち込むハマスやイスラム聖戦の言行不一致も、エルサレムというのが本当はイスラム教にとって聖地などではないことの証明なのです。


（2023年1月7日）

第4節　ハマスのメディア戦略

外国メディアに報道規制を敷いているハマス

日本のメディアは、パレスチナの武装勢力とイスラエルの衝突が発生し、パレスチナ人が死ぬと、必ず「イスラエルのせいだ!」と報じ、「子供を無惨に殺すジェノサイド国家イスラエル」という印象操作に躍起になります。

2022年8月に、イスラエルとイスラム聖戦が衝突した時、朝日新聞は、「イスラエル軍が空爆、ガザで10人死亡　武装組織もロケット弾で報復」（高久潤、2022年8月6日）、毎日新聞も、「イスラエル、ガザ空爆　イスラム過激派幹部ら狙い」（2022年8月7日）と報じました。

しかし、実はパレスチナの武装勢力自体がパレスチナ人を直接、あるいは間接的に殺しているという実態があり、この衝突においても、イスラム聖戦がイスラエルに向けて発射した1000発を超えるロケット弾のうち、200発ほどはガザに着弾しました。イスラム聖戦が殺したパレスチナ人の数は、イスラエル当局の作戦で死んだパレスチナ人の数より多い、というのがイスラエル当局の発表です。

この件について、TBS NEWS DIGは「イスラエル、ガザへの攻撃継続　死者30人超える」（2022年8月8日）で次のように報じました。

〈死者の中には「イスラム聖戦」の幹部が少なくとも2人含まれていますが、子どもも6人亡くなっています。うち4人は6日にガザ北部のジャバリア難民キャンプへの着弾で死亡しましたが、イスラエル軍は「イスラム聖戦が発射したロケット弾がイスラエルに届かずガザ

内に落ちたためだ」と主張、その模様だとする映像を公開するなどしています。〉

TBSは、「単にイスラエルがそう主張しているだけ」だと言いたいわけですが、当該映像を見ればロケット弾の誤射という事実は明らかです。

レバノンを支配しているヒズボラ系のニュースチャンネル「マヤーディーン」の中継映像では、アンカーが「ロケット弾が海の方向に向かって発射されました、海の方向に向かって……」と言っているまさにその最中に、ロケット弾がなんと海ではなく住宅の密集する市街地へ向かって飛んでいき、しかもそれをカメラが追いかけ、着弾してドーンという大きな音がし、住宅地から煙が上がっているところまでカメラは映していました。

マヤーディーンが絶賛応援しているイスラム聖戦は、巨悪イスラエルと戦っているはずで、ロケット弾も憎きイスラエルを攻撃しているはずなのに、なぜか実際にはポンコツロケット弾がパレスチナの市街地に落下して、明らかにパレスチナ人に損害を与えているという映像を映し出してしまったわけです。

にもかかわらず、日本のメディアは、朝日新聞も毎日新聞もTBSも、「イスラエルが、誤射のせいだとか言ってるけどよー（どうせウソだろ）」的な記事しか出しませんでした。

繰り返しますが、朝日新聞は最初から「イスラエルの空爆のせいで子供が死んだ」と決めつけました。

日本の外信記事は、アメリカのメディアの劣化版後追いだとよく言われますが、私の見る限り、パレスチナ問題など中東に関しては、アメリカのメディアよりもはるかに偏っていて、はるかに悪質です。

実はこの時、ハマスは外国メディアに対して、報道規制を敷いていました。AP通信の記事によると、ハマスは、同じイスラム過激派テロ組織仲間であるイスラム聖戦の誤射によってガザの人々が死亡した事実については報道しないよう、外国人ジャーナリストに命じました。また、この衝突についてイスラエルを非難するよう命じた、とあります。

しかし、ジャーナリストたちはこれに反発、その後ハマスはこの規制を撤廃すると発表しました。発表したことはしたのですが、これがハマスの意向である事実は変わりません。ガザを実効支配しているのはハマスです。ハマスのルールに反したジャーナリストは、ガザで取材することはできません。

このAP通信の記事にもありますが、ハマスは2007年以降、ガザを訪問するすべての記者に現地人の「スポンサー」を付けることを義務付けています。

このスポンサーというのは、通常はパレスチナ人ジャーナリストか通訳者です。外国人ジャーナリスト、メディアは、必ずパレスチナ人ジャーナリストや通訳者を雇わなければなりません。

この時に出されてすぐに取り消された報道規制のルールにおいては、スポンサーについて次のようなルールが定められていたとされます。

◎ スポンサーは外国人ジャーナリストの取材に必ず同行しなければならない。
◎ スポンサーは「パレスチナの民族精神」を示し、「パレスチナの物語」を擁護し、「イスラエルの物語」に偏った外国人ジャーナリストを拒否しなければならない。
◎ 取材活動の範囲外の「疑わしい行動や非論理的な質問」をハマスに知らせなければならない。
◎ 外国人ジャーナリストがガザで何をしたか、すべての出稿についてリンクと完全な報告書をハマスに提出しなければならない。

これは要するに、もし、あるスポンサーを雇った外国人ジャーナリストが、「ハマスの考え」に反するような報道をしたら、そのスポンサーは今後一切、外国メディアと仕事をすることをハマスによって禁じられる可能性があることを示唆しています。

ガザで生きていくには、ハマスの命令に従うしかありません。逆らえば捕まり、ヘタをすると殺されます。また、彼らは、外国メディアという収入源を失えば、実質的に生きていくことができません。

このスポンサーというのは、各メディアが「プロデューサー」とか「ストリンガー」などという名目で、お抱えで契約し、カネを支払っているのが通例です。メディアはガザで何かが起こると、彼らから情報を得たり、取材に入る時に許可を取らせたり、通訳させたりする。彼らがいるからガザでの取材ができる、自分たちはガザやハマスの内情に通じているという、そういう安心感をもたらす存在です。

しかし、実は話があべこべなのです。彼らを通して、ハマスは外国メディアの報道をコントロールすることができる。外国メディアがパレスチナ人を利用しているようで、実はガザのハマスが外国メディアを利用しているのです。

日本のメディアは、ハマスをやたらに擁護してきました。そこにはメディア自体のイデオロギー的な偏向があり、なおかつ、ハマスの対イスラエル戦略の中に、外国人ジャーナリストをどうコントロールし、どう報道させるかが含まれている。メディアはハマスの作戦に嵌（ハマ）っているのです。

（2022年8月10日・12日）

ハマスに利用されるTBS記者

メディアは、ハマスに利用されていることに気づいている場合もあれば、気づかない場合もあります。
気づかない場合の典型例が、TBSの須賀川拓記者です。2022年8月のイスラム聖戦のイスラエルへのミサイル発射について、彼はツイッター（現X）で延々とハマスやイスラム聖戦のパレスチナ側を擁護し、イスラエルを批判しました。
〈確かにハマスが民間人を盾にしているケースはあるかもしれない。だからといって、民間人の巻き添え被害を分かった上で「テロリストを制圧する」という正義を持ち出し、秒速3000mで破片が飛び散る精密誘導爆弾を民家にぶち込んでいいはずがない。〉（@HiroshiSukagawa　2022年8月10日）
お得意のイエスバット論法です。イスラエルの作戦は「いいはずがない」そうです。
〈国際法違反の入植地でイスラム聖戦メンバー逮捕&射殺　※イスラエルはテロリスト認定
↓ガザ空爆　※過去の取材を統合すると高い可能性で無警告
↓結果民間人も死亡　※イスラエルはテロリスト標的と主張
↓ガザから無差別ロケット弾。
ここ数日の武力衝突、始めたのは誰なのか、という話。〉（同8月6日）
イスラエルの入植は国際法に違反していると批判する一方で、彼は、イスラム聖戦の無差別ロケット弾攻撃が国際法に違反していると批判することはありません。

彼のツイートは、いちいちハマスの報道規制に忠実です。「始めたのは誰なのか」と執拗にイスラエルを非難します。死んだのはパレスチナ人なんだ！　と「強者イスラエルは常に悪」という「パレスチナの物語」にあくまでも忠実です。

〈死んだのは全てパレスチナ人。大切なので、もう一度言う。今回の衝突で死んだのは、全員パレスチナ人。イスラエル側に死者がいないのは幸いなこと。民間の死者はどちら側であれ少なくあってほしい。〉（同8月8日）

要するに須賀川氏にとっては、パレスチナ人がいっぱい死んだ、だから、イスラエルは悪なんだ、ということです。彼はこの主張を執拗に繰り返します。

しかし、パレスチナ人の死者数を発表しているのは、イスラム過激派テロ組織ハマスに支配された「ガザ保健当局」です。須賀川氏のような記者がいるからこそ、「ガザ保健当局」は平気で水増しした犠牲者数を発表し、中でも子供の犠牲者数を誇張する。

須賀川氏は、これを鵜呑みにします。通常のジャーナリズムでは、テロ組織の発表を鵜呑みにしたりなどしません。しかし、ハマスの場合には「弱者パレスチナ」の代表だということになっているため、その発表を信じることこそが「正義」だと、皆が勘違いしているのです。実に愚かです。

通常の国軍は、自国民を守り、自国民の被害を最小限にとどめるべく敵と戦います。しかし、ハマスやイスラム聖戦といったパレスチナのイスラム過激派は違う。彼らは、パレスチナ人が死ねば死ぬほど喜びます。なぜなら、須賀川氏のような記者が「パレスチナ人はこんなにたくさん死んだ！　だからイスラエルは悪なんだ！」と報じてくれるからです。

須賀川氏のツイートを遡ってみると、なんとこんなものまでありました。

〈私は政治記者をしたことがないし、恐らくその能力もない。でも、この記事がなんとなく、日本独特の権力者と記者の距離感を象徴しているように感じる。初対面であろうと、私はハマスの幹部にも、イスラエル軍広報トップにも、タリバン幹部にも戦争犯罪の疑いや人権侵害の可能性を突きつけた。〉〈そしてもう一つ大切なのが、取材対象の権力者も記者をプロとしてリスペクトしているかどうか。お互いプロとして対峙すれば、攻撃的な応酬もできるはずだと思うんです。ハマスもタリバンも、イスラエル軍も、だからこそ答えてくれたんだと思います。〉（同7月28日）

要するに須賀川氏は、日本政府よりハマスやタリバンの方が記者をリスペクトしていると述べることで、日本政府を批判し、ハマスやタリバンを称賛し、さらにハマスやタリバンにリスペクトされてるオレ、スゲー！　とやっているわけです。

（２０２２年８月12日）

パレスチナを反戦に利用するTBSの偽善

須賀川氏やTBSは、とにかく「戦争＝悪」「反戦＝正義」というイデオロギーを広めたい。なぜなら、彼らの目的は、「戦争＝悪」と印象付けることで日本の「軍国主義化」を防ぎ、日本を弱体化させることだからです。

そのためには、いや、戦争だって必要な時もある、自衛のための戦争は正義だといった異論をとにかく封じ込めていかなければなりません。

TBSは「戦争＝悪」と印象付けるための材料を探している。世界のどこかで戦争が起こると、悲劇のシーンを切り取り、ほら、おまえもこんな目に遭いたくないだろう、だから戦争はダメなんだと印象付ける。

彼らにとって最も望ましいのは、民間人、特に子供が攻撃されたり、殺されたり、搾取されたりしている場面です。

貧しく荒んだ生活をしている子供、泣き叫ぶ子供の姿を彼らはことさら好んで放送する。それが視聴者の感情を最も揺さぶり、「戦争は悪」と印象付けるのに最も効果的だと知っているからです。弱者に寄り添っているように見せかけて、弱者を利用しているのがTBSです。戦争は悪だと印象付けるためなら、彼らはイスラム過激派テロ組織も利用します。

ハマスやイスラム聖戦といったイスラム過激派は、「強者イスラエルは絶対悪」だと世界に印象付け、それによってイスラエル殲滅という自分たちの目的に有利なように世論を誘導したい。ＴＢＳも「強者イスラエルは絶対悪」だと日本人に印象付け、それによって「戦争は悪」だと日本の世論を誘導したい。目的は違っても、彼らのアピールしたい「絵面」は同じです。しかも、彼らはそれによってカネを稼ぐ。だから彼らは共犯関係を結ぶ。

２０２３年の終戦記念日にもＴＢＳはこれを繰り返しました。ＴＢＳは、『サンデーモーニング』で「『終戦から78年』各地で続く〝戦争の本性〟がもたらす、悲劇とは…」（２０２３年8月13日）という放送をしました。冒頭でこう言います。

〈２０２３年も「終戦の日」を迎えます。しかし、終戦から78年、戦争は無くなるどころか、同じ悲劇が繰り返されています。〉

戦争＝「同じ悲劇」とするＴＢＳが、「同じ悲劇」として並べ立てたのが、ロシアによるウクライナ侵攻と、イスラエルによるパレスチナ攻撃でした。

ＴＢＳの論点すり替え技を見てみましょう。ＴＢＳはこう言います。

〈連日続くミサイルやドローンによる攻撃にさらされるウクライナ。軍事施設を標的にしているというロシア側の建前とは裏腹に、攻撃は民間人を巻き込み、無差別に拡大しています。片や、イスラエルによる占領が続くパレスチナ自治区では、7月、イスラエル軍が、過去20

年で最大規模とされた攻撃を行い、多くの市民が犠牲に……。〉

「片や」という接続詞を挟むことで、唐突にウクライナの話をパレスチナにすり替える。「片や」という接続詞は、相対するもののうちの一方は、という意味です。ウクライナとパレスチナは全く相対していません。日本語として間違っている。TBSは間違った日本語を使い、ロシアがウクライナに軍事侵攻したことと、イスラエルがパレスチナを攻撃したことは、同じ罪なのだと印象操作します。

どう同じなのかというと、ロシアは軍事施設を攻撃していると言うが、実際は民間人を攻撃している、それと同じく、イスラエルも軍事施設を攻撃していると言うが、実際は民間人を攻撃している、というのです。

TBSがこの印象操作に利用するのは、イスラム過激派の主張です。

〈パレスチナ側「ジェニン旅団」司令官:「(イスラエルは)日々、私たち戦闘員ではなく民間人を巻き込んでいる。1週間前の攻撃では5歳の子どもが顔面を負傷してしまった」〉

民間人、特に子供を攻撃し、子供を殺すジェノサイド国家としてイスラエルを批判するのは、TBSの得意技です。TBSの須賀川氏がいつもやっていることです。須賀川氏をはじめとするTBSは、要するにイスラエルを自分たちの反戦平和イデオロギーの宣伝に利用しているわけです。

はっきり言っておきますが、イスラエルがパレスチナのテロ組織に対して行う軍事作戦と、ロシアのウクライナへの軍事侵攻は、目的も標的も国際法的な位置付けも全く異なります。イスラエルの軍事作戦は、あくまでも対テロ作戦です。テロ組織がイスラエル人に対してテロ攻撃をしてくるので、対抗措置を取らざるを得ない。国土と国民を攻撃するテロ組織に対して対抗措置を取ることは、イスラエルという主権国家に国際法上認められた自衛権の行使の一環です。民間人や子供を無差別に攻撃することが罪であり、悲劇であるとするならば、ジェニン殉教団こそが加害者です。

ところが、TBSは不思議なことに、その側面は完全に無視し、ジェニン殉教団を「かわいそうな弱者パレスチナの代表」として取り上げる。覆面して武装したイスラム過激派の男が「(イスラエルは)日々、私たち戦闘員ではなく民間人を巻き込んでいる。1週間前の攻撃では5歳の子どもが顔面を負傷してしまった」と言うのを、被害者側の証言として利用する。とんだ偽善者です。

ちなみに、このジェニン殉教団というのは、パレスチナ自治区ガザのイスラム過激派テロ組織イスラム聖戦の下部組織の一つです。イスラム聖戦に資金を提供しているのは主にイランです。

日本のメディアが、常にイランに対して妙に宥和的で妙にイラン推しなのは、彼らの大好きなイスラム過激派に資金や武器を提供しているスポンサーがイランだからでもあります。

TBSは「反戦」とか「戦争は悪」と主張しながら、テロによりイスラエルという国家を殲滅しようとしているイスラム過激派に寄り添う。彼らがイスラエルの子供や女性や一般人を殺戮していることは、どうでもいいわけです。というかむしろ望ましいと思っている。おそるべき二重基準、ダブルスタンダードです。

彼らの目的は、戦争をなくすことではない。民間人への攻撃を非難することでもない。もし本当にそうならば、パレスチナのテロリストも非難するはずです。しかし、彼らはパレスチナのテロリストを非難しない。自衛権を発動するイスラエルだけを非難する。

私がこう批判すると、須賀川氏などは、「パレスチナがイスラエルにロケット弾を撃ち込むことも悪い。しかし……」と、いわゆる「イエス・バット（Yes But）」論法で必ず応じてくる。「しかし……」の後には、イスラエルがパレスチナを占領しているのが悪いとか、イスラエルは圧倒的な力でパレスチナをねじ伏せていてそれはひどいとか、そういった言い訳が続くわけです。彼らにとってパレスチナの現実や、パレスチナの民間人が何にどう苦しんでいるかなどはどうでもいいわけです。

彼らは、日本語で日本人に向けて報道という体裁のプロパガンダを流している。彼らは、日本人に「戦争＝悪」「戦争＝悲劇」と思わせ、憲法改正に反対し、防衛費増大に反対し、とにかく日本を強くしそうな政策に反対する世論を作り上げ、日本を弱いままにしておきたい。日本をもっと弱く、侵略されやすい国にしたいのです。

パレスチナは、ＴＢＳや須賀川氏にとって、ただの道具です。彼らを、彼らの悲劇を、「絵的に使える」「オレたちのイデオロギーを広めるのに便利だ」と利用しているだけなのです。

（２０２３年８月15日）

第5節　ガザは「天井のない監獄」か

メディアの伝えない「悲惨じゃないガザ地区」

パレスチナ自治区ガザについて、日本のメディアや「有識者」はよく「天井のない監獄」と描写します。「天井のない監獄」というのは、ガザがイスラエルによって封鎖された、悲惨で貧しい地域であること、人々はそこに閉じ込められどこにも行かれないことを意味します。

メディアが、ガザは「天井のない監獄」なのだと繰り返すことで、一般人の中には、ガザと言えば悲惨な地域であり、それはすべてイスラエルのせいなのだというイメージが焼き付けられる。感情的な表現を繰り返す効果は絶大だということを、メディアは熟知しているからこそ、この表現を繰り返すのです。

ガザは、とにかく悲惨な場所であり、そこでは移動の自由もなく、貧困がはびこっていて、それもこれもすべてはイスラエルの占領のせいだということになっています。

日本のメディアのガザ報道は、テレビも新聞も含め、ほぼすべてこの路線といっても過言ではありません。

中でもこの「悲惨なガザ」「イスラエルの占領の犠牲者としてのガザ」というイメージを積極的に発信し続けているのが、TBSの須賀川拓記者です。

〈ガザの武装勢力「イスラム聖戦」が主催するサマーキャンプ、という名の戦闘訓練に参加した、ムハンマド君13歳。彼は1ヶ月前、イスラエル軍による空爆で父親を殺害されています《ママ》。ガザで子供たちが過激な教育をさせられている！　と批判することは簡単。コンテクストを理解し、何ができるかを考えたい。〉（@HiroshiSukagawa　2023年6月24日）

〈ガザのミリタリーキャンプに参加していたムハンマド君。キャンプでは険しい表情だったけれど、ビーチに来ればこの表情。戦争さえなければ、子供たちは訓練などせず、こうして遊ぶことができます。〉（同6月27日）

とにかくガザは悲惨なんだ！　子供が犠牲になっているんだ！　全部イスラエルのせいだ！　と須賀川氏は強調し続ける。

しかし、実は、ガザの子供たちはみんながこのように軍事訓練キャンプに参加しているわけではなく、全く違う夏をエンジョイしている子供たちもいます。

ＴｉｋＴｏｋには、ガザのスポーツクラブのオシャレで綺麗なプールで水泳を習っている子供たちや、同じくガザのスポーツクラブの少年たちがエルサレムに遠征に行く様子の動画が上がっています。これもガザの子供たちです。

ガザの人たちは、移動することができるのです。これが現実です。ガザは、別に「天井のない監獄」ではありません。ガザにも高級スポーツクラブがあり、そこでいろんなスポーツを習ったり、楽しんだり、イスラエルに遠征旅行に行ったりする子供たちもいる。

一方で、須賀川氏が強調する「かわいそうな子供たち」「子供なのに軍事訓練を受けさせられているイスラエルの犠牲者たち」もいる。

ここから理解できるのは、ガザはとんでもない格差社会だ、という現実です。しかし、搾取しているのはイスラエル人ではない。パレスチナ人です。よりはっきり言えば、ガザを支配しているハマスです。

ガザには一人のイスラエル兵もいません。ガザを支配し、管理し、ガザの人々から搾取しているのは、ハマスです。パレスチナ人がパレスチナ人を支配し、搾取している。だから一部にはリッチな子供たちがいる。一方で軍事訓練キャンプに参加し、イスラエルへの憎悪を募らせる子供たちがいる。

ハマスの指導者マシュアルの資産は50億ドルです。この一つの事実だけをもってしても、ハマスのウソ、ハマスを「弱者パレスチナのために命懸けて戦う清貧の戦士」と印象付けようとする須賀川氏のウソは明らかです。

須賀川氏のやっているのは、「かわいそうな子供たち」だけがガザのすべてであるかのような印象操作です。そして、かわいそうなパレスチナ、かわいそうなガザ像を煽り、イスラエルを悪者に仕立て、それによって子供を搾取するイスラム過激派テロ組織を擁護している。

本当にかわいそうな子供たちを救いたいと思うならば、彼らを搾取するハマスやイスラム聖戦を批判しなければならないはずです。ところが、彼はそれをイスラエルのせいにする。そして、ハマスへの批判をイスラエルへと逸らし、それによってハマスを擁護する。彼のやり方はいつも同じです。というか、彼に限らず、日本のパレスチナ擁護論者はいつもこの調子です。

SNSが普及する以前の時代は、これで日本の世論をコントロールするのは容易でした。なぜなら、情報をメディアが占有していたからです。

しかし、今は違う。ガザに住むパレスチナの人々は商業活動をしています。だから、セレブな子供を集めて商売をする人たちは、さかんに宣伝をする。ガザにも豊かな人々がいて、豊かな人々のニーズに応じたサービスがある。スポーツクラブも、ホテルも、レストランも、娯楽施設も、ショッピングモールもあることが、SNSではバレているわけです。

須賀川氏の偏向報道、印象操作のウソを暴くのは簡単です。インスタグラムやTikTokやフェイスブックを見ればいい。そこには須賀川氏が決して報じない、ガザやパレスチナの現実があります。

なお、国連パレスチナ難民救済事業機関（UNRWA）の保険局長を務める日本人、清田明宏氏も、『天井のない監獄　ガザの声を聴け！』（集英社新書、2019年）という本を出しています。かわいそうなガザ、かわいそうなパレスチナを強調してカネを集める「弱者ビジネス」の典型例です。

（2023年8月8日）

ガザの「国境」を支配するハマス

朝日新聞が2023年5月14日に配信した「結婚するはずだった娘『ドレス着せ埋葬』ガザ軍事衝突、停戦成立」という記事は、見出しをみるだに「悲惨」です。冒頭には次のようにあります。

〈イスラエル軍とパレスチナ自治区ガザ地区の武装組織「イスラム聖戦」の間で9日から続いた軍事衝突は、13日夜、エジプトの仲介で停戦が成立した。イスラエルメディアが一斉に報じた。空爆とロケット弾の応酬は5日間に及び、ガザ保健省によると、ガザの死者数は子どもを含め33人に上った。イスラエルメディアは、イスラエル側でも2人の死者が出たと伝えた。〉

これはパレスチナ問題についての朝日新聞の定番の報じ方で、強者イスラエルが弱者パレスチナ人を空爆し、パレスチナの無辜な子供を殺したと印象付けるように書く。しかも、イスラエルは空爆できる強者だが、ロケット弾しか撃てないパレスチナは抑圧された弱者の側であるとも暗示する。

イスラム過激派テロ組織のイスラム聖戦がやっているのは、イスラエルの住民に対する無差別テロ攻撃なわけですが、なぜか朝日新聞はそれをかばうわけです。

加えて朝日新聞は、必ず記事の中で、「悲惨なガザ住民の声」というのを強調します。この記事には次のようにあります。

〈朝日新聞の助手の取材によると、ガザに住むアラ・アダスさんは、イスラエル軍の空爆が始まった9日、2人の娘を失った。「爆発音がした後、家中に煙が立ちこめ、がれきだらけになった。急いで娘たちの様子を見に走ったが、手遅れだった」と振り返った。娘の一人は近く、結婚する予定だったという。「結婚式で着るはずだったドレスを着せて埋葬した。占領が私たちの生活、平和、夢を奪っている」と訴えた。〉

「占領」と言っていますが、イスラエルはガザからはとっくに撤退しており、ガザを占領していません。これが事実です。

イスラエルがガザとの「国境」に壁を作り「封鎖」しているのは、そうしないとイスラム聖戦やハマスがテロ攻撃をしてくるからです。イスラエルが壁を作ると、自動車で突進したり、自爆テロをしたりするのが難しくなったので、イスラム聖戦やハマスはロケット弾を撃ち込むことにした。それが現状です。

そしてハマスは、この「国境」と物流を支配することで、そこから多額の「税金」を取っている。誰からか？　ガザに住むパレスチナ人からです。

だからこそ、ガザには貧困に苦しむ人々がいる一方で、豪華で贅沢な暮らしをしている人々が一定数いるわけです。ガザの人々から搾取しているのは、ガザを実効支配するイスラム過激派テロ組織ハマスです。ハマスは、ガザへの物の出入りに高い税金をかけているだけではない。不動産や飲食業、ホテル業など多くの事業を手がけ、そこからも多額の利益を得ています。

ハマスは、国際支援物資の横流しを「しのぎ」にしていることでも知られています。ガザのスーパーマーケットには、国連パレスチナ難民救済事業機関（ＵＮＲＷＡ）のマークのついた小麦粉や砂糖、粉ミルクなどが売られている。こうしてハマスはタダで手に入れたものを高値で転売し、稼いでいるのです。ＵＮＲＷＡには日本からの支援金も大量に投入されている。そうです、我々の税金はハマスの資金源になり、テロ資金として使われているのです。

こうした実態を見れば、ガザが悲惨なだけではなく、格差満載の地域だということがわかる。しかし、朝日新聞はそれを隠す。そして、あたかもガザの人々から搾取し、国際支援をネコババし、私腹を肥やしているハマスが、ガザの人々の守り手であるかのような、間違った印象を与える記事ばかりを連発している。

朝日新聞の記事には、次のような「悲惨なガザの声」もあります。

〈青果店を営むムスタファ・アブダラさん（28）は、新鮮な野菜や果物の仕入れが滞っている、と語る。ほとんどの農地がイスラエルとの境界近くにあるため、今回のように緊張が高まると、作物の手入れや収穫が難しくなるという。「軍事衝突が起きるたびに食べ物が不足し、多数の家屋が破壊される。市民は心から平穏な生活を望んでいる」と話した。〉

しかし、ガザ市民はＴｉｋＴｏｋなどのＳＮＳで、ガザで人気のファストフード店やイケてるレストラン、ショッピングモールの様子をたくさん投稿しています。これ「も」ガザなのです。

さらに、朝日新聞の記事にはこうあります。

〈ガザ地区は日本の種子島ほどの面積で、イスラエルと敵対するイスラム組織ハマスが実効支配している。２００７年以降、イスラエルによる封鎖が続き、人や物資の行き来が厳しく制限されている。〉

しかし、人や物資の行き来を「厳しく制限」しているのは誰なんでしょう？　では、なんで、ガザにはこんなにたくさんのものがあって、豪華な家が売られていて、こぎれいなレストランでみんなが楽しく食事しているのでしょう?

見せたいものだけ見せる。伝えたいことだけ伝える。不都合なことは伝えない。これが「朝日スタイル」です。

（2023年5月15日）

ハマスの汚職・腐敗

ハマスは、汚職・腐敗でもよく知られています。一例として、国際NGOなどからのガザ復興にあてるべき資金で、サウジやUAEなどの不動産投資を行う、トンネル使用に高い税金をかけて市民からカネを巻き上げる、ハマス政治局長イスマイール・ハニーヤによる資金の持ち逃げなどが知られています。

ハニーヤはガザ地区のラマルという場所に2500平方メートルの土地を所有しており、ここは約400万ドルの価値があるとか、息子たちの名前で数軒の家を購入していることも知られています。

日本のメディアではいつも、ガザは「天井のない監獄」で人々は悲惨な生活を送っていると書かれています。その人々を悲惨な暮らしから解放するために戦っている正義の戦士であるはずのハマスの幹部が、支援金をネコババして自分の懐に入れているのはどういうことなのか。

世界中のメディアがガザの悲惨さをアピールし、世界の人々がたくさんの支援金をガザに送るほど、ハマス幹部の懐は潤う。ガザが悲惨であればあるほど、ハマス幹部にとっては「おいしい」わけです。だから、ハマスはむやみやたらにイスラエルにテロ攻撃をする。反撃を呼び込み、ガザの人々が死ぬのを、彼らは期待しながら待っている。これほど卑劣なテロ組織はハマスをおいて他にない。

アラブ諸国のほとんどはハマスには冷淡です。アラブ諸国はハマスをテロ組織指定まではしていませんが、ハマスがムスリム同胞団の分派であることは一般レベルの常識です。イラン、トルコ、カタールから資金を得ていることも知っているので、扱いは実質的にはテロ組織です。彼らはハマスがパレスチナ人を護っているのではなく、パレスチナ人を抑圧し、「人間の盾」として、かつ金儲けの道具として利用していることも熟知している。

アラブのメディアは、カタールのアルジャジーラなどを除き、パレスチナ問題についての報道も公正です。「イスラエルが一方的に悪いんだ！」という報道はしません。ハマスのロケット弾で炎上するイスラエルや逃げ惑うイスラエルの人々など、イスラエル側の被害についても大きく伝えています。「ハマスはパレスチナの人々を守ってるんだ！」的な擁護は皆無です。

イスラム教徒のほとんどがパレスチナの人々には同情しています。しかし、彼らのほとんどはハマスがテロ組織であることを知っているので、ハマスに同情などしていません。ですから、報道も当局もハマスとパレスチナ人をきっちりわけて扱っています。当たり前です。

それをわざと混同したように報じることで、「イスラエルはジェノサイド国家！」という反イスラエル報道を続ける日本のメディアやリベラルな方々というのは、弱者パレスチナの味方のふりをしながら、実はテロ組織ハマスに便宜を図っているのです。彼らはテロの共犯と言っても過言ではありません。

（2021年5月16日）

第6節　愚かなパレスチナ自治政府

広島原爆をガザ空爆と比較したパレスチナ代表部の愚行

パレスチナ自治政府の駐日パレスチナ常駐総代表部は、2023年10月7日に起こったハマスの大規模テロ攻撃に対するイスラエルのガザ空爆について、広島に投下された原爆とガザへの空爆を比較し、イスラエルの行為は「戦争犯罪、ジェノサイド、民族浄化」だと非難しました。

〈広島に落とされた原子爆弾リトルボーイは、火薬を使った爆弾16000トン相当の爆発を起こしました。ここ3週間のイスラエル軍によるガザへの空爆は12000トンを超えています。そして通信を完全に遮断し、暗闇の中で民間人を殺戮し続けています。戦争犯罪、ジェノサイド、民族浄化〉（@PalestineEmb　2023年10月28日）

広島の原爆とガザ空爆は、あらゆる点において全く異なります。全く異なり、完全に無関係の広島原爆をパレスチナ代表部が持ち出したのは、広島原爆と比較すれば、日本人がガザに同情・共感し、イスラエルを憎むと思ったからでしょう。

いわゆる「広報文化外交（公共外交）Public Diplomacy」の一環です。外務省はこの広報文化外交について、次のように説明しています。

〈「パブリック・ディプロマシー」とは、伝統的な政府対政府の外交とは異なり、広報や文化交流を通じて、民間とも連携しながら、外国の国民や世論に直接働きかける外交活動のことで、日本語では「広報文化外交」と訳されることが多い言葉です。

グローバル化の進展により、政府以外の多くの組織や個人が様々な形で外交に関与するようになり、政府として日本の外交政策やその背景にある考え方を自国民のみならず、各国の国民に説明し、理解を得る必要性が増してきています。こうしたことから、「パブリック・ディプロマシー」の考え方が注目されています。〉

パレスチナ代表部はイスラエルのガザ空爆と広島原爆を比較することで、イスラエルの行為が原爆投下に匹敵する「戦争犯罪、ジェノサイド、民族浄化」であることを日本人に訴え、日本人の共感・理解を得ようとした。

しかし、このポストについたコメントを見るかぎり、パレスチナ代表部のこの思惑は外れ、多くの日本人がむしろパレスチナ代表部に怒っていることがわかります。

無関係な原爆を持ち出したことに対する怒り、原爆を政治利用したことに対する怒りを露わにする人や、日本人を舐めていると怒る人もいる。そもそも悪いのはハマスや、それを排除できなかったパレスチナだろうと自業自得論を投げ返す人もいる。パレスチナ代表部への怒りをパレスチナ全体に向ける人もいる。

要は、パレスチナ代表部のこのポストは、パレスチナへの同情どころか怒りや憎しみを生み出したわけです。どう見てもパレスチナ代表部のパブリック・ディプロマシーは失敗です。なぜ失敗したのか。それは、一つには、パレスチナ代表部が日本人をバカにしているからです。もう一つには、パレスチナ代表部が日本人についても原爆についても無知だからです。

この投稿内容からは、彼らが明らかに日本人をバカにしていることがわかる。日本人をこっちの味方につけるのなんて簡単だ、原爆を持ち出せばイチコロだろうと、彼らはそう思ったのでしょう。

あいつらにとってイメージしやすい最悪の攻撃は原爆だ、だから原爆を持ち出せばいいんだと、彼らは日本人を見透かしたつもりでいる。原爆と比較すれば、日本人はみんなパレスチナに同情するだろう、そういうちょろい存在だと、彼らは思っているのです。

彼らは日本を、日本人を、日本の歴史を、日本の文化を侮辱している。彼らのこの侮辱は、彼らの無知に起因します。彼らは日本人にとって原爆がどういうものか、日本人とはどういう人たちなのか、原爆とはどういうものなのか、ほとんど全く理解していない。

私はもう30年近く中東・イスラム研究を続け、アラブ人と付き合ってきました。彼らは私が日本人だと知ると、「ヒロシマ」「ナガサキ」という単語をすぐに口にします。

私「こんにちは」
アラブ人「あなた、何人？」
私「日本人です」
アラブ人「ヒロシマ、ナガサキ」

こういうノリです。いや、誇張していません。本当にそうなのです。彼らは原爆のことを詳しく知っているわけではありません。ただ、学校で日本と言えばヒロシマ、ナガサキだと習うので、何となく知っている。そして、原爆は大きな爆弾ぐらいなものだと思っている。ヒロシマ、ナガサキと言えば、日本人にアメリカの邪悪さを思い出させることができる、アメリカってひどい国だよね、と一緒に盛り上がれると思っているのです。パレスチナ代表部のノリはこれとほとんど同じです。

しかし、これは大きな間違いです。日本人にとって原爆は、単にアメリカを罵って終了するような、そのように単純化できるようなものではありません。一発で広島で約14万人、長崎で約7万人が亡くなったという、それだけでもない。

私たちは、原爆を被弾した人たちの影が、写真のように焼き付けられ、その姿が瞬間に消えてしまったことを知っている。私たちは、彼らがどれほど苦しんで亡くなったか、被弾した当人だけでなく、家族や子供、孫にまで、偏見や醜聞が及び、その苦しみが今も続いていることを知っている。

私たち日本人は、子供の頃から、原爆と戦争、そして平和というものを一体として捉えてきた。それは私たちが、戦争はしてはならないという思い、そして戦争をしないためにはどうすればいいかという、現在の外交や安全保障問題にもつながっています。

そして、何より私たちは、原爆が、日本の戦意を完全に失わせるため、民間人を標的に投下された最恐兵器だということを知っている。

これは、今のイスラエルのガザに対する空爆とは、全く異なります。

イスラエルは、10月12日から、ガザ地区北部の約110万人の住民に対し、ガザ南部の沿岸部へ避難するよう、あらゆる方法で呼びかけています。

イスラエル国防総省のジョナサン・コンリカス報道官は、イスラエル国防総省が「民間人に危害が及ぶのを避けるために広範な努力をする」こと、そして戦争が終われば住民の帰還を許可することを明言しました。

イスラエルはガザ住民の母語であるアラビア語でビラを大量に撒いています。「ガザの住民へ。（北部の）ガザ市は戦闘地域になり、安全ではなくなります。直ちにガザ川より南の地区に避難してください」とあります。

戦闘に巻き込まれないよう、ガザ川（涸れ川）の南に退避するよう促しています。退避するための道も確保されています。

ビラの他にも、イスラエルは、軍事攻撃が差し迫っている地域の市民に対し、空襲警報サイレンを鳴らす、携帯電話へのショートメッセージ、「ルーフ・ノッキング」、つまり非爆発弾を標的の建物に向けて発射し実際に攻撃が行われる前に居住者に避難するよう警告する、といったプロセスも踏んでいる。これがイスラエル軍のやり方です。

アメリカが広島に原爆を落とす前に、こんなことをしたでしょうか？　全くしていない。彼らは日本の民間人に最大の被害をもたらすために原爆を投下した。そして広島と長崎で約21万人が死亡した。

イスラエル軍の標的はテロ組織ハマスです。ハマスのインフラです。イスラエル軍はパレスチナ人に被害が及ばないよう最大の努力を尽くしている。アメリカの原爆投下とはあまりにも違う。パレスチナ代表部は、原爆とガザ空爆を比較したことで、これまでパレスチナ人に同情的だった人すら失ったと思います。

パレスチナ自治政府が狙うのは「漁夫の利」です。だから、彼らはハマスのテロ行為を非難する代わりに、イスラエルへの憎悪を煽る活動を熱心に行っている。ハマスもパレスチナ自治政府も、イスラエルへの憎悪を煽ることによって自らの利権を最大化してきた人たちです。彼らにとってパレスチナ人は、自分たちの利権のための道具にすぎない。イスラエルへの憎悪を煽るための燃料のようなものです。彼らにとっては、パレスチナ人が殺されることこそが、戦略なのです。

パレスチナの悲劇は何より、彼らを「代表」している主体が、彼らを自分たちの利権増大のための道具としか見ておらず、彼らの命や彼らの幸福、福利のことなど何一つ考えていないところに起因しているのです。

（2023年10月30日）

駐日パレスチナ常駐総代表の妄言

現在の駐日パレスチナ常駐総代表は、ワリード・シアムという人です。彼は2003年6月からもう20年以上、この座に居座っています。

朝日新聞は、2022年にワリード・シアム氏にインタビューし、「50年前、日本赤軍に感謝したパレスチナ『過激主義はもうたくさん』」（聞き手＝編集委員・石合力、2022年5月29日）という記事を掲載しました。

このタイトルを見ると、パレスチナの人たちはもう過激主義や暴力とは決別したのだな、という印象を与えますが、内容は大きく異なります。パレスチナは、パレスチナ自治政府も、ハマスも、もちろんパレスチナ解放人民戦線（ＰＦＬＰ）も過激主義や暴力を全く捨ててなどいません。シアム氏は冒頭でこう述べます。

――（1972年ロッド空港無差別乱射テロ事件）当時、事件はパレスチナでどう受け止められたのですか。

大きな衝撃でした。正直に言えば、当時パレスチナ人は日本についてほとんど何も知りませんでした。その日本人がなぜ、パレスチナを占領するイスラエルに来て、占領に抵抗する我々のために戦ったのかと。人々の感情は今と全く異なり、多くの人が感謝の気持ちを抱きました。

「今と全く異なり」と言いますが、パレスチナには今でも、実行犯である日本赤軍の岡本公三や元最高幹部の重信房子を憧れの目、尊崇の念を持って見る人がいます。

――日本赤軍が連帯したパレスチナ解放人民戦線（ＰＦＬＰ）は、あなたが所属する解

放機構（PLO）の傘下組織です。

我々は占領に抵抗する自由戦士として、世界中の革命運動と連帯しようとしていました。キューバ革命の革命家チェ・ゲバラや南アフリカで反アパルトヘイト闘争をしていた指導者のネルソン・マンデラ、（英国からの分離独立を目指した）アイルランド共和軍（IRA）とも協力しました。PFLPが協力した組織の一つが日本赤軍だったのです。

なるほど。「占領に抵抗する自由戦士」＝チェ・ゲバラ、マンデラ、IRA、日本赤軍。

そうですか。

現在、PFLPの活動の大半は（自治政府の野党としての）政党的なもので、もはや強い存在ではありません。歴代の指導者たちがイスラエルによって暗殺され、闘争への疲労感もある。当時のPFLPは、旧ソ連の社会主義的な影響が強く、過激な組織でした。航空機をハイジャックする作戦を実行したのも大半が彼らです。世界の関心を向ける意味では、否定的な面だけでなく、効果的な面もありました。なぜ彼らはこんなことをするのか、彼らは何を望んでいるのか、と人々は思うようになりました。

なるほど、ＰＦＬＰは闘争に疲れたから、もう強くはない、と。じゃあ、疲れが癒えたら、何かきっかけさえあれば、またヤルんでしょうね、と私は解釈します。「当時のＰＦＬＰは……」と今と当時はまるで違うかのように強調するが、ＰＦＬＰは今も岡本を匿《かくま》い、彼を軍神の如く崇めています。

シアム氏は実際、ＰＦＬＰを「過激だった」と言いながら、「効果的な面もあった」と評価している。テロを起こしておいて、「世界の関心を向ける意味で効果があった」と堂々と述べるとは恐れ入ります。

他者の人命など「パレスチナの大義」の前には虫ケラのように無意味なのでしょう。しかも、ＰＦＬＰは日本赤軍が殺戮した多数のプエルトリコ人について、あんな奴らはイスラエルの占領の片棒をかつぐ仲間だとレッテル貼りし、死んで当然だと豪語した。

次からは論点ずらしで急旋回します。

――むしろ否定的な面が大きかったのでは。

その通りです。我々パレスチナ人には国家を持つ権利があるという前向きの認識が広がる一方で、否定的な面もありました。米国やイスラエル側からテロリストというレッテルを貼られ、その後、欧州諸国もこの動きに参加しました。欧米の政府やメディアが、自分たちが気に入らないものをテロリストと呼ぶ動きは、半世紀後の現在も続いています。自分の土地、食料、財産を奪い、子どもたちや妻たちを殺害し、銃剣で我々の家を襲撃する軍隊に対して我々が戦うこと、これがテロリズムと呼ばれているものです。むしろ、逆ではないでしょうか。日常的にパレスチナ人を脅かすイスラエル軍こそテロリストだと思います。

「米国やイスラエル側からテロリストというレッテルを貼られ」と言いますが、「パレスチナの大義」というイデオロギーを掲げて何の関係もない人を無差別に殺したり、人質に取ったりしてるわけですから、テロリストそのものでしょう。

思想のために見ず知らずの人を平気で殺すのがテロリストです。しかし、その思想を正しいと信じる人にとっては、その人はテロリストではない。シアム氏の主張は、彼の思想に裏付けられている。シアム氏にとってのテロリストはイスラエル軍です。

現代の元祖イスラム過激派テロリストの親玉はビンラディンですが、イスラム教の大義、要するにイスラムによる世界征服を正しいと信じる人にとっては、彼はテロリストではなく尊敬すべきジハード戦士です。ヒーローなのです。

パレスチナも同じです。パレスチナ建国のためには占領者イスラエルを殲滅しなければならない、そのために一人ひとりが戦い、イスラエル人を殺さねばならないという思想を正しいと信じる人にとっては、岡本も重信もテロリストではない。「抵抗の戦士」なのです。

占領への抵抗はテロとは違います。

だから、イスラエル人を、ユダヤ人をいくら殺しても、攻撃しても、それはテロではないのだ、と暗に示唆する。

だからロシアに侵略されたウクライナを欧米だけでなく日本も支援している。ところがイスラエルによる占領が70年以上続く我々が支援を求めると、欧米から「全く事情が違う」と言われる。イスラエルは（占領地からの撤退などを求める）国連安保理決議を履行していません。いまロシアとウクライナの間に起きていることに対して公正であろうとするならば、パレスチナとイスラエルの問題にも公正に向き合ってほしい。（イスラエル建国後）ウクライナやロシアから（ユダヤ系住民が）イスラエルに来て、我々の土地を奪ってつくられたユダヤ人入植地で暮らしている。彼らには権利があるが、我々にはありません。これは二重基準ではないでしょうか。

これは「論点ずらし」です。ウクライナとパレスチナは一緒だ。ウクライナを支援してパレスチナを支援しないのは二重基準だとこの人は主張するが、全然一緒ではない。ウクライナは主権国家です。そして同じく主権国家なのはイスラエルです。パレスチナという国家はいまだかつて存在したことがない。そして国連決議に基づき、パレスチナ国家建設の具体案が示されるたびに、それを拒み続けてきたのは、パレスチナ自治政府です。

そして、支援については、世界中がパレスチナに対してものすごい額を支援してきました。今もしています。日本も1993年から23億ドルの対パレスチナ支援を行ってきました。日本円にして約3400億円です。そのお金は、いったいどこに行ってしまったのでしょうか。なぜ毎年、世界中から数十億ドルの支援金を得ているにもかかわらずパレスチナの人々は全く豊かにならず、テロに明け暮れる一方でパレスチナ自治政府の幹部の資産は増え続けているのか。

パレスチナ自治政府が腐敗しきっていることを日本人は誰も知らないとでも思っているのでしょうが、私は知っています。腐敗の歴然たる証拠の一つが、公職に何十年も居座り続けているパレスチナ人の存在です。

その最たるものが、20年近くパレスチナ自治政府のトップに君臨しているアッバース大統領です。選挙を何度も潰し、権力の座に居座り、自分の子飼いの部下たちにおいしい仕事をあてがい、長年そこに鎮座させ、暴利を貪《むさぼ》る。彼は議会の機能も停止させ、思うがままに大統領令を発布することでパレスチナを統治している。そうです、彼は独裁者なのです。

経済的発展などというものは、パレスチナ自治政府にとってはどうでもいい。「パレスチナの大義」や国家建設を掲げ、ひたすらイスラエルとユダヤ人への憎悪を煽り、イスラエル人や外国人を殺傷したパレスチナ人には殺しの報酬を支払い、家族には年金を支払う。国際社会に対しては、このインタビューでやっているように、イスラエルへの憎悪を煽り、パレスチナ人はかわいそうなのだと強調する。

そして憎悪を煽る教育をし、テロリストに殺しの報酬を支払っているくせに、こんなことを言う。

我々（PLO主流派、自治政府）は過激主義を放棄しました。我々は和平交渉の途中にいます。これまであまりにも多くの過激主義があった。もうたくさんです。

それなら、ヘイト教育やテロ実行犯に報酬を与えることや、その家族に年金を支払い続けるのをやめるべきです。

ファタハの幹部は、今も平気でテロを正当化し、暴力を煽っている。テロリストをヒーローだと称賛している。日本人がその事実を誰一人知らないと思ったら大きな間違いです。私はみなさんに申し上げたい。この人に騙されてはなりません。

（2022年6月1日）

第4章　自由主義社会は「弱者の正義」を超克できるか

自由社会でジハードの呼びかけは許されるか

世界には、イスラム教徒に対するヘイトクライムばかりを取り上げ、ユダヤ人に対するヘイトクライム、反ユダヤ主義は見過ごすという傾向があります。それは政府も、メディアも、社会も同様です。

逆説的ですが、イスラム過激派はイスラム諸国では堂々と活動できません。なぜなら、イスラム諸国の多くでは表現の自由が制限されているからです。過激派は国家の治安の大敵です。イスラム諸国はイスラム過激派を厳しく統制する。

しかし、欧米諸国は自由を尊重する。さらに多様性を尊重する。こうした「リベラル」な世界では、イスラム過激派は堂々とジハードを称揚する活動を展開できます。

しかし、ジハードは多義語だ、などという方便で、ジハードの称揚が認められていいのか。

それは明らかにユダヤ人虐殺や異教徒殺害を呼びかけているのに、野放しにされていいのか。欧米諸国はいつまでこれを「表現の自由」として許容するのか、というのは、私の関心の一つでした。今、ようやく西欧諸国が動き出すかもしれないという機運が生まれています。

イギリスのスナク首相は、Xに次のようにポストしました。

「今週末、私たちは街頭で憎悪を目にした。ジハードへの呼びかけは、ユダヤ人コミュニティだけでなく、私たちの民主的価値観に対する脅威である。我々は、わが国における反ユダヤ主義を決して容認しない。そして、警察が過激主義に正面から取り組むために、必要なあらゆる行動をとることを期待する。」（@RishiSunak　２０２３年10月24日）

スナク首相が目にした「憎悪」とは以下のような状況です。

イスラム過激派テロ組織「イスラム国」の掲げる黒旗を振り回しながら、「アッラーよ！不信仰者を呪いたまえ！」「アッラーよ！　ユダヤ人を呪いたまえ！」と叫ぶ男。

「パレスチナ解放！」と叫び、「イスラム軍」と書かれたポスターを掲げる人々。

「アッラーフ・アクバル！（神は偉大なり）」と叫ぶ群衆。

「パレスチナ解放のために必要なのはジハード！」「神の道におけるジハード！」と叫ぶ男たち。

満員の地下鉄車内でも「パレスチナ解放！」と叫ぶ男。

　街中では人々が、イスラエルをヒトラーやナチスと同一視し、イスラエルはパレスチナに対してホロコーストをしていると非難する垂れ幕やら、イスラエルをゴミ箱に入れて世界をクリーンにしようと書かれたポスターを掲げて練り歩く。

　特にこのジハード発言については、暴力を煽動する危険発言だと英移民相も問題視しています。ジハードを称揚する集会を開いたのは、ヒズブ・タハリール（解放党）というイスラム原理主義組織です。「日本一のイスラム学者」として名高い元同志社大学教授の中田考氏が支持しているのが、このヒズブ・タハリールです。中田氏は、日本がイスラム化すれば平和になる、日本をイスラム化させるのが私の務めだと公言しています。

　スナク首相も、街中でジハードが呼びかけられたことを批判している。彼は、それがユダヤ人、民主主義、西側の価値観に対する憎悪であり、西側の価値観に対する脅威であることを認識している。これは非常に重要なことです。

　イギリスの現行法では街頭で「ジハード！」と叫んでも、それだけでは違法にはなりません。これは法の隙間であると批判されて久しいわけですが、法は修正されないまま現在に至っています。つまり、イギリスの法では、暴力を煽動するような発言を公共の場ですることは禁じられているものの、ジハードにはいろいろな意味があるため、ジハードと言ったからといって、それは必ずしも暴力の煽動には当たらない、というわけです。

ジハードは、イスラム法の文脈では完全に武力による敵の打倒ですが、広義にはイスラム教支配を広めるためのあらゆる努力を含みます。

イギリスの街頭で大っぴらに「ジハード！」と言えてしまうという状況は、明らかに移民を多く受け入れすぎた代償です。ハマスのテロを祝福する人たちが出現してしまったのも同様です。

ドイツのショルツ首相は、『シュピーゲル』誌のインタビューで、次のように述べています。

シュピーゲル　ドイツの路上、特にベルリンでは、ここ数日、反ユダヤ主義的な激しい抗議デモが起きている。「（ホロコーストの過ちを）二度と繰り返さない」と誓った国で、いったいどうしてこのようなことが起こりえるのでしょうか？

ショルツ首相　そのような行為は非難されるべきものです。そして、私たちは「二度と繰り返さない」と誓っている。だからこそ私たちは、反ユダヤ主義的なスローガンを唱え、イスラエル国旗を燃やし、ハマスのテロ攻撃で殺害された人々の死を恥ずかしげもなく祝うすべての人々に断固として立ち向かわなければならない。それらはすべて罰せられるべき犯罪なのです。

ショルツ首相は、「反ユダヤ主義的なスローガンを唱え、イスラエル国旗を燃やし、ハマスのテロ攻撃で殺害された人々の死を恥ずかしげもなく祝う」ことは犯罪であり、そうした人々には断固として立ち向かうと宣言している。

スナク首相、ショルツ首相が同じタイミングでこうした発言をしているのは偶然ではありません。イギリスもドイツも、いや欧米諸国のすべては、公共の場でジハードやテロを称賛する人々をこれまで放置してきたわけです。それは言論の自由、表現の自由の範囲内であり、彼らの文化や宗教は尊重されるべきだと、むしろ配慮してきた。それどころか、これこそが多文化共生だとして賛美されてきた。

ジハードやテロの称賛は、イスラム諸国でも自由にすることはできません。イスラム諸国の多くには表現の自由などありません。エジプトで公然と「ジハード！」などと言ったら逮捕されます。覆面をしてハマスの鉢巻をした人物など、直ちに逮捕されます。それは、国家の秩序を乱し暴力を煽動する危険な言動だとみなされるからです。

反ユダヤ主義的傾向は、現在のイスラエル情勢についての日本の報道にも顕著に見てとれます。彼らは、ハマスがイスラエル人を惨殺したことは矮小化する。そしてイスラエルのハマス掃討作戦は、「パレスチナ人虐殺だ！」と誇張して報じる。

10月7日にハマスがイスラエルに対する大規模テロ攻撃を行って以降、在日イスラエル大使館の前に連日「ジェノサイドをやめろ！」「パレスチナ人を殺すな！」などと書かれたビラを持った人々が殺到し、イスラエルを一方的に非難している事実が、日本の報道の偏向を象徴しています。

残念ながら研究者、「専門家」も同じです。彼らはこれまで、2001年のアメリカ同時多発テロ事件をはじめとするさまざまなテロを非難し、ロシアによるウクライナ侵攻を非難してきた。

ところが、2023年10月に起こったハマスのイスラエルに対するテロ攻撃については、皆で示し合わせたように、イスラエルの側には立たない、というスタンスを取っている。なぜ、テロの被害に遭ったのがイスラエルの時だけ、彼らは被害者の側に立たないのか。なぜ彼らは、加害者ではなく被害者であるイスラエルの方を非難するのか。

アフリカでは、イスラム教徒がキリスト教徒を数百人規模で惨殺するテロ事件がしばしば発生しています。しかし、日本のメディアはそれをほとんど報じない。人々は全く関心を持たない。

メディアも人々も、テロの被害に遭ったイスラエルが、パレスチナのイスラム過激派に反撃する時にだけ、異様なまでの熱をもって「イスラエルがパレスチナ人を虐殺している！」と非難するのはなぜなのか。

日本人はいったいイスラエルの中に、何を見ているのか。

反ユダヤ主義というのは、日本にも根付いていて、日本のメディアやアカデミア、そして社会を蝕んでいることを、認めざるを得ないと私は思います。


（2023年10月25日）

LGBTQがパレスチナ推しする理由

「パレスチナ支持」のデモなるものが世界各地で起こっています。

パレスチナを支持する人たちの中には、ゲイやトランスジェンダーといったいわゆる性的少数者の姿が確認されます。カナダではクィアやレズビアン、ゲイといった同性愛者がパレスチナを支持すると書かれた垂れ幕を持ってデモ行進しています。イタリアでもクィアたちがパレスチナを支持するパフォーマンスをしている。ニューヨークの「パレスチナ支持」デモでは、LGBT支持を示すレインボーフラッグとパレスチナの旗を合体させた旗が掲げられました。

同性愛者や、自ら「私は何にも属さない奇妙な人だ」と宣言するクィアたちが、パレスチナを支持すると声高に叫び、活動を展開しているのは実に奇妙です。

なぜなら、パレスチナは、彼らのような同性愛者やクィアの存在を認めないからです。パレスチナのイスラム教指導者は「パレスチナ人は一人たりとも同性愛者を受け入れたりはしない」と明言しています。

これは全く珍しい発言ではありません。イスラム教は教義で同性愛行為を禁じている。同性愛行為を行う人は神に反逆しこの世の秩序を乱す退廃者として処刑すべし、というのがイスラム法の規定です。イスラム教では人間は必ず女か男であると規定する。クィアなどという存在が認められないのは言うまでもありません。

ではなぜ、欧米のLGBTQは、自らの存在を否定するパレスチナを、これほど熱心に支持するのか？

なぜなら第一に、彼らは無知だからです。

パレスチナが、イスラム教が、ハマスがLGBTQなどという存在を認めず、同性愛者は処刑すべしという規範を持っていることを知らないからです。

第二に彼らは、「強者たる権力者は絶対的悪人」「弱者は絶対的善人」というポストモダン的「社会正義」を信じているからです。

「絶対」というところがポイントで、弱者であれば何をしても許され、誰もが「善人」なのだと彼らは信じている。

だから、彼らは「弱者パレスチナ」を絶対的に支持する。パレスチナがなんであれ、どうであれ、とにかく弱者パレスチナを支持することが社会正義であり、「弱者パレスチナを支持する」とデモやパフォーマンスをすることで、自分が「正しい人」だとアピールできることが重要なのです。

彼らはあらゆる弱者に寄り添い、あらゆる弱者と「連帯」することが正義だと信じる。だから、ＬＧＢＴＱと、イスラム教徒と、極左活動家や政治家が一緒になって「パレスチナ解放！」と訴える。

彼らは弱者であれば何をやっても許されると信じているのも特徴的です。だから、彼らはハマスのテロに寛容です。あるいはハマスが子供を拉致するなんてありえない、ハマスが子供を拉致したなんていうのはユダヤ野郎どものデマなんだと平気で主張する。むしろ彼らは、弱者が振るう暴力を称賛すらしている。

パレスチナを支持するデモでは、「インティファーダ」が呼び掛けられています。「インティファーダ」は、パレスチナ解放のために民衆が蜂起することの意味でよく使われますが、原義は「覚醒」です。

そうです。インティファーダはＷＯＫＥに近い。今のアメリカ社会でＷＯＫＥというのは特定の政治イデオロギーへの「覚醒」を意味します。今の社会というのは、権力者が自分たちの利権のために作り上げたシステムなのだと「覚醒」するのがＷＯＫＥです。だからこそ、その権力者を倒し、本当に自由で平等な社会を作るために、虐げられた弱者が連帯しなければならないのだと「覚醒」するのがＷＯＫＥです。ＷＯＫＥな人たちにとっては、パレスチナも虐げられた弱者の仲間であり、彼らが繰り広げてきたインティファーダはＷＯＫＥそのものであるわけです。

彼らの愚かなところは、「権力者VS弱者」という構造をあまりにも単純化して捉えている点です。

パレスチナ人を虐げているのはハマスです。

ところが彼らはイスラエルを非難する。

パレスチナでパレスチナ人のクィアを殺しているのもハマスです。

ところが彼らはイスラエルを非難する。

イスラエルを非難し、イスラエルに停戦を迫ったところで、パレスチナ人もゲイもクィアも救われない。

しかし、彼らは信じているのです。弱者は連帯すべきであり、そうすれば悪の権力者を打倒し、真に自由で平等で平和な世界が訪れると。実に愚かなことです。

（２０２３年11月６日）

パレスチナ支援者がウイグル人迫害を無視する理由

２０２３年10月7日にイスラム過激派テロ組織ハマスがイスラエルに対する大規模テロ攻撃を行うと、世界各地で数千人、数万人の人々が街頭に繰り出し、ハマスの攻撃を「祝福」しました。

イスラエルがハマスに対する反撃を開始すると、さらにそれを上回る数の人々が街頭に繰り出し、今度は、イスラエルに対して「ジェノサイドをやめろ！」「虐殺をやめろ！」「皆殺しをやめろ！」と非難したり、イスラエル大使館やイスラエル人、ユダヤ人やユダヤ学校、シナゴーグに対する攻撃も開始しました。

彼らはこう言います。

「パレスチナは弱者でイスラエルは強者だ」

弱者パレスチナは強者イスラエルによって支配され、「天井のない監獄」ガザに閉じ込められ、そして今、無差別空爆によって虐殺され、全滅させられようとしているのだ、と。

彼らは、弱者パレスチナを絶対善と規定し、強者イスラエルを絶対悪と規定する。だから、弱者パレスチナに絶対に寄り添い、強者イスラエルを絶対に非難する。なぜなら、それが「社会正義」の正しいあり方だと信じているからです。

メディアのスタンスもこれです。だから、メディアは他では見たことのないような熱を込めてパレスチナを全力で感情的に擁護し、イスラエルを全力で感情的に非難する。

しかし、ここで大きな問題が浮上する。

なぜ、今パレスチナに寄り添い、数万人、数十万人の規模で街頭に繰り出し、イスラエルを非難する人々は、中国共産党によって迫害されているウイグル人のためには何もしないのか？

パレスチナ人もウイグル人もイスラム教徒です。しかし、世界のイスラム教徒は、パレスチナのために数万人が立ち上がり、イスラエル大使館やアメリカ大使館や米軍基地などを襲撃し、イスラム諸国が口を揃えてイスラエル非難声明を出すのに、ウイグル人のためにはほとんど誰一人立ち上がらない。イスラム諸国も中国には文句一つ言わず、むしろ、「新疆ウイグル自治区は発展し、人々は幸せに暮らしている」とか証言したりしている。

ウイグル人は、中国によって監視され、投獄され、命を奪われ、強制労働させられ、臓器を抜かれ、その迫害は明白であるにもかかわらず、なぜ、世界の人々は、世界のメディアは、パレスチナのために立ち上がるようにはウイグル人のために立ち上がらず、イスラエルを非難するようには中国を非難しないのか？

中国共産党によって「テロリスト」とレッテル貼りされ、母を中国共産党に殺され、国を追われ、世界中で中国の執拗な脅迫、妨害、嫌がらせに遭ってきたウイグル人の政治活動家ドルクン・エイサ氏は自伝的著書『「テロリスト」と呼ばれた男』（飛鳥新社、２０２３年）で、いみじくも自らの故郷である東トルキスタンのことを「天井のない監獄」と呼んでいる。

彼が、メディアや活動家がパレスチナ自治区ガザを称して言う呼び方を意識したのかしていないのか、それはわかりません。しかし、実際、東トルキスタンは「天井のない監獄」と呼ぶに相応しい。

ウイグル人は、ウイグル人だというだけで中国共産党に拘束され、強制収容所に収容されます。

ウイグル人は、ウイグル人だというだけで、殺される。臓器を抜かれる。

ウイグル人は、ウイグル人だというだけで、テロリストのレッテルを貼られる。

ウイグル人は、ウイグル人だという理由だけで、監視され、移動の自由を制限される。

一方、日本で「天井のない監獄」として知られるガザはどうか？　ガザのパレスチナ人は、パレスチナ人というだけでイスラエルに拘束されることもないし、殺されることも、臓器を抜かれることも、テロリストのレッテルを貼られることも、監視されることもない。

そもそも、ガザを支配しているのはイスラエルではない。同じパレスチナ人、同じイスラム教徒のハマスというイスラム過激派テロ組織です。イスラエルはむしろ、パレスチナ人に水や電気、エネルギーを供給し、働く場を提供し、教育や医療サービスも提供している。

しかし、世界中の「社会正義」に目覚めた人々は、イスラエルだけを「ジェノサイド国家！」と糾弾し、中国を「ジェノサイド国家！」とは糾弾しない。

日本でも、イスラエル大使館の前には連日、「パレスチナ人を殺すな！」「ジェノサイドをやめろ！」というビラを持った活動家が詰めかけていますが、中国大使館の前ではそのような光景は見られない。

これはどういうことか。

ドルクン氏は本書で、ぽつりとこう書いています。

〈兄弟愛と誠実さをもってウイグル人に対して配慮をしてくれるイスラム教国は、この世界には残念ながらほとんど存在しなかった。〉

〈おそらく「トルコが中国を恐れている」という事実を認めたくなかったのだろう。〉

そうです。イスラム諸国もイスラム教徒も、同胞であるイスラム教徒が虐げられていれば必ず立ち上がるわけではない。その相手がイスラエルや欧米諸国の時には立ち上がり、暴力をもって抗議する。

しかし、その相手が中国の時には、同胞を見捨てる。なぜなら、中国が怖いからです。いや、もっと言えば、中国と仲良くして得られる利権の方が、中国を批判するよりも「おいしい」からです。さらに言えば、中国は今の世界秩序を支配する「帝国主義列強」と対峙する上での、自分たちの仲間だと思っているからです。

「社会正義」に目覚めた世界のWOKEな人々も同様です。彼らは、「弱者こそ正義」だと主張しているが、あらゆる弱者に寄り添うわけではない。寄り添うべき弱者を彼らは選別している。

これは、欺瞞です。この欺瞞を図で解説しましょう。ポストモダン的「社会正義」論を単純化すると次のように示せます。

[ポストモダン的「社会正義」論]

◎世界のすべては権力構造でできている。
←
◎社会は権力者/強者が自分に都合のいいように作った。
←
◎権力者/強者を倒し、弱者に優しい社会を作ることこそが正義だ。

では、彼らは具体的に、どんな主体を権力者/強者と規定しているか、誰を弱者と規定しているかというと、**図5**のようになります。

図5　ポストモダン的「社会正義」論における権力者／強者と弱者

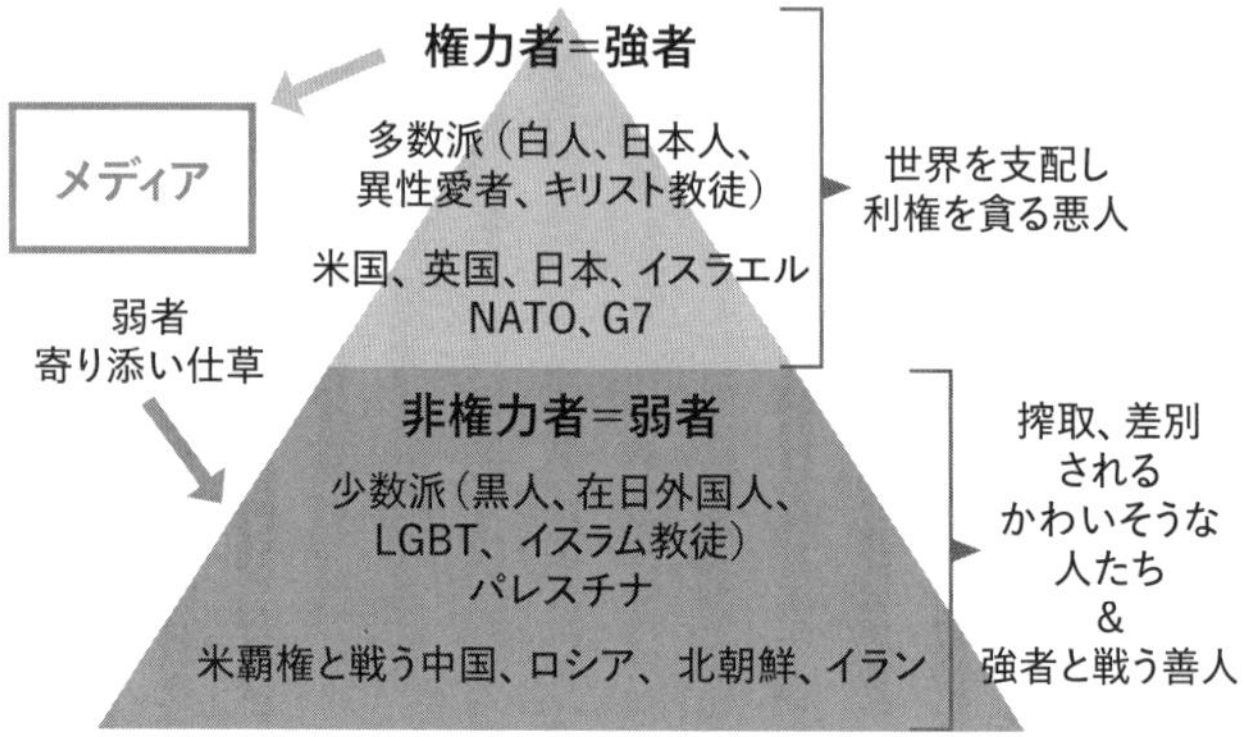

これは個々人の心持ちではなく、属性で決まってしまいます。日本人や白人、異性愛者は生まれつき権力者であり、強者であり、差別の加害者だということになっている。

こういう属性を持った人が、「善人」になるためには、ここで弱者と規定されている人たちに「寄り添い」をすればいいわけです。そうすれば、弱者に寄り添い、強者と戦う「善人」になれる。

この「弱者寄り添い仕草」を示す代表格がメディアや「専門家」や「知識人」です。

この構造において、パレスチナは寄り添うべき弱者と規定されています。だからこの「社会正義」論に与する人々、「いい人」になりたい人たちはこぞってパレスチナに

図6　ポストモダン的「社会正義」論における弱者の選別

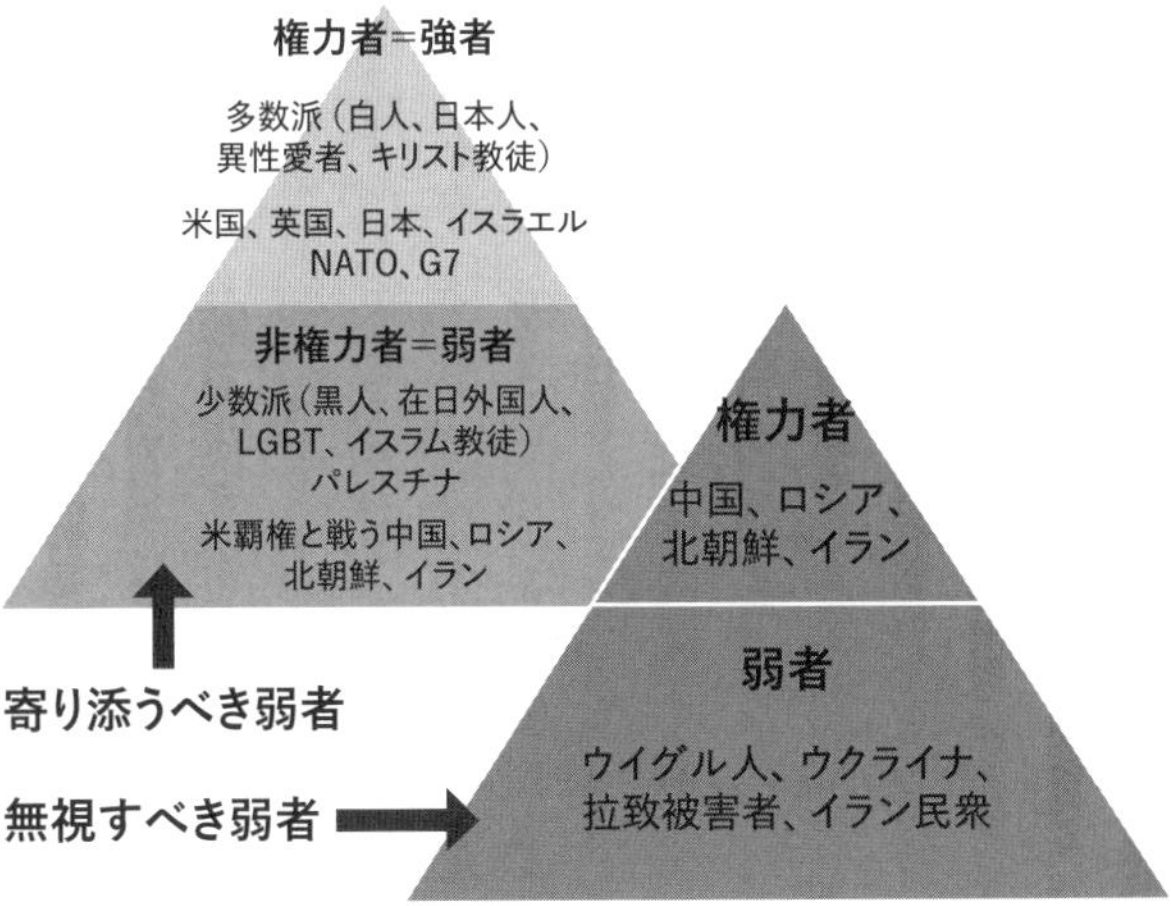

寄り添い、イスラエルを非難する。

ポイントは、この弱者の中に、強者であるアメリカや日本などと対峙する中国、ロシア、北朝鮮、イランが含まれている点です。彼らはこの「社会正義」論の中では、弱きを助け強きをくじく正義の味方ということになっている。

だからこそ、中国、ロシア、北朝鮮、イランの体制に虐げられている「弱者」には、誰一人、見向きもしないのです（**図6**）。

同じイスラム教徒で、同じく弱い立場に置かれているにもかかわらず、世界の「いい人」たちがパレスチナのためには立ち上がり、ウイグル人のためには立ち上がらない理由はこれです。

世界がウクライナや、北朝鮮に拉致され

た拉致被害者や、イランの体制に抑圧されているイラン民衆のために立ち上がらない理由もこれです。

彼らは別に、本当の意味での「弱者の味方」なわけではないのです。彼らが倒したいと思っているアメリカ、日本、白人、男性、キリスト教徒、異性愛者といった「強者」を倒すのに都合のいい、「連帯」すべき「弱者」だけを、彼らは選別している。その連帯すべき主体の中には、最強最悪の「米帝」と戦う中国やロシア、北朝鮮、イランも含まれます。

だから、彼らは、中国が迫害するウイグル人のことは無視する。北朝鮮が拉致した日本人拉致被害者のことは無視する。そんなことはなかったかのように振る舞い、中国や北朝鮮と連帯する方が、自分たちの「闘争」「革命」「抵抗運動」にとって都合がいいと信じている。

ウイグル人迫害を批判することは、中国共産党を批判することになる。拉致を批判することは、北朝鮮を批判することになる。それは、今あるこの「腐敗した世界」の支配者であるアメリカやイスラエルを倒すために連帯すべき仲間を批判することになってしまう。だから、ウイグル人迫害や拉致などという問題は、ないことにして済ませようとするのです。

これは、ハマスのテロを矮小化し、イスラエルの被害など大したことはないかのように報じる今のマスコミのあり方にも通じる。

確信犯的にこのイデオロギーを持って行動している人たちはごくわずかでしょう。その他大勢は、単に考える力を失い、寄り添い仕草をすることで自分がいい人でいられることに満足し、その立場に安住しているのだと思います。

これを煽動しているのが、メディアや「専門家」やインフルエンサーだということです。

（２０２３年11月11日）

イスラエルVSアラブ全面戦争シナリオのウソ

イスラエルとハマスの戦争が、イスラエルとアラブ諸国の全面戦争につながるかのような発信をしている「専門家」がいます。

たとえばこちら。東京大学公共政策大学院教授の鈴木一人氏の、

〈イラン外相のアブドラヒアンがイスラエルに対して石油禁輸を呼びかけたとのこと。イランからイスラエルに行く石油はごくわずかだから、他の産油国に呼びかけたということなんだろうが、湾岸諸国はイスラエルを非難しているとはいえ、経済関係を断ちたいと思っているわけではないだろう。〉（@KS_1013　２０２３年10月19日）

を引用して、池内恵氏が次のようにポストしました。

〈湾岸産油国は国交正常化のためにあれだけ対話してきたイスラエルに、文字通り自制を求めている。反応に失望している。このままだとオスロ合意までの30年どころか、第四次中東

戦争の1973年まで中東の時計が遡りかねない。〉（@chutoislam　2023年10月19日）

微妙にぼやかしてはいますが、要するに第5次中東戦争が起こりかねないと仄めかしているわけです。

しかし、これはおかしい。というか、この「このまま行くとイスラエル・アラブ全面戦争になるぞ！」というのはまさに、ハマスやイランが望んでいる筋書きそのものです。池内氏はハマスとイランのプロパガンダに「インテリ風」の味付けをして広めている。

では、池内氏のこのポストのどこがおかしいか、説明しましょう。

「自制」を求めることが「第四次中東戦争の1973年まで中東の時計が遡りかねない」ことを意味する、というのがこのポストの主旨です。

しかし、日本の岸田政権などは、ハマスのテロ直後からイスラエルに自制を求めています。では、日本はイスラエルとの国交を断絶して戦争をするとでもいうのでしょうか？

そんなわけがない。池内氏の主張は意味不明です。いみじくも、彼が「自制」という言葉を使っているように、「自制」という言葉以外には、「第四次中東戦争の1973年まで中東の時計が遡りかねない」ということを示す証拠、ようするに湾岸産油国がハマスの側に立ってイスラエルに全面戦争を挑むというような証拠や兆候はありません。

湾岸産油国の立場と認識は、今回の戦争前から一貫しています。

① イスラエルに対しては、入植や「占領」を批判。
② 「パレスチナの大義」は支持。
③ パレスチナ自治政府に対しては失望。
④ ハマスはテロ組織。

これは戦争開始後も変わっていません。イスラエルとハマスの戦争が始まったからといって、急に湾岸産油国がイスラエルに失望して時代が遡るなんてことはそもそもない。なぜなら、元々湾岸産油国はイスラエルの「占領」を非難していたからです。「占領」は非難するが、ではパレスチナ問題をどうすればいいかとなった時に、イスラエルの存在を否定し続けてもパレスチナ問題は解決しない、ならばここはイスラエルを国として認め、国交を結び、その上でパレスチナ国家樹立に向けて対話しよう、というのが、近年の、特に2020年のアブラハム合意以降の湾岸産油国の立場です。

しかも、今回、イスラエルが戦っている相手は、ハマスです。これはテロ組織であり、湾岸産油国にとってもテロ組織です。だからサウジもUAEも、公式に、ハマスの蛮行を非難している。

もちろん、サウジもＵＡＥも、同時にイスラエルのことも非難しています。しかし、これは「既定路線」です。今まで大好きだったイスラエルにいきなり失望した、みたいなストーリーは妄想です。前提が間違っている。しかも、サウジもＵＡＥも高官らがイスラエルとの関係を今後も維持すると明言しています。

ハマスもその母体であるムスリム同胞団も、イスラム過激派テロ組織です。彼らは今ある湾岸産油国の体制をすべて打倒し、そこにイスラム国家を建設することを目論んでいる宗教過激派です。

イスラエルの地がハマスの支配するイスラム国家に置き換わったら、最も困るのが湾岸産油国です。周知のように、ハマスのスポンサーはイランです。湾岸産油国は、イランとハマスという二つの「イスラム革命」国家に挟み撃ちにされる。王政は打倒され、「イスラム革命」国家に置き換えられる可能性が高まる。湾岸産油国としては、最も避けたいシナリオです。

池内氏は、10月8日の「フォーサイト」への寄稿で、「ハマースがアラブ世界の中で地位を認められ、そこから和平交渉に向かうきっかけになる可能性もある」と述べていますが、私にはこの主張の合理性は皆目理解できない。

湾岸産油国がハマスに味方してハマス側につき、イスラエルに全面戦争を挑む理由は一つも見つかりません。

1973年の第4次中東戦争の時、イスラエルが戦った相手はシリアとエジプトという、二つの主権国家、アラブ・イスラム国家でした。

だから、1973年に湾岸産油国はシリアとエジプトに加勢した。アラブ側に友好的ではないとみなした日本などの国に、石油を売らないと宣言することで、イスラエル側に立つ諸国に圧力をかけたのです。これがオイルショックの背景です。

今回、湾岸諸国がハマスという敵対するテロ組織のために、日本などに「石油売らないぞ」と圧力をかけるなど、考えられません。というか、どうなったらそういう理屈が捻り出されるのかすら、私には理解できません。

池内氏の思い描く、「イスラエルVSアラブ全面戦争」、つまり第5次中東戦争というのは、ハマスとイランにとって最も望ましいシナリオです。

なぜなら、ハマスとイランはイスラエルを倒したい。しかし、それには大量のコストがかかる。そこに、自分たちの敵であるアラブ諸国を引きずり込み、自分たちの側に立たせてイスラエルに当たらせれば、自分たちはラクできる。しかも、自分たちの敵同士が戦ってくれるわけですから、両方とも疲弊する。そこへ攻勢をかけて「イスラム革命」を輸出し、「イスラム革命」国家を建設すればいいわけです。これが理想のシナリオです。

そんなアホな筋書きに、自国の利益の最大化をめざし近代化の途上にある湾岸諸国が乗るわけがありません。こんなもの、誰がどう考えても「誰得?」です。

しかし、おそらく日本人の多くは、この湾岸産油国の論理を知らない。だから、池内氏の煽りに騙される人がいるわけです。特に彼は、国際政治研究の世界で、一目置かれている。中東は池内氏に聞けば間違いない、ということになっている。えらくやっかいな話です。

なお、池内氏は、日本ならば、アメリカが対イラン戦争に突き進むのを阻止することができるとも主張している。

〈では米国が中東の同盟国に煽られて対イラン戦争に突っ込むのはやめてもらうために日本はなんとかしないといけない。ものを分かった顔をして座して死を待つのか。役に立たないやつだな。〉(@chutoislam　２０２３年10月24日)

これも全く意味がわかりません。

まず、アメリカがいきなり対イラン戦争に突っ込む理由がない。前提として、イランがイスラエルに戦争を仕掛けなければならない。しかし、イランがイスラエルに戦争を仕掛ければ、イランはアメリカによって、今のイスラム体制ごと潰されてしまう可能性が１００％に近いわけですから、イランがそんなことをするはずがありません。

イランの立場は、北朝鮮に似ていると考えればわかりやすい。北朝鮮は、いつでもアメリカをやってやると常にイキっている。しかし、アメリカに一発撃ち込めば、「金王朝」が破滅することを知っているので、実際に手出しはしない。北朝鮮にとっては、「金王朝」維持こそが最優先課題だからです。イランにとっての最優先課題は、「イスラム革命体制」の維持です。だから、彼らはイキって見せても、アメリカやイスラエルを直接攻撃することはない。

イランが今考えているのは、イスラエルに全面戦争を挑むことなどでは全くない。イランは今、パレスチナ自治区の西岸を、第二のガザにしようとしています。この計画は、すでに数年前から進行中です。

だから、西岸にはすでにハマスの拠点があり、ハマスの西岸地区指導者がいて、ハマスのシンパも大量にいる。西岸でハマスを支持する集会やデモ行進をやっているのを見れば一目瞭然です。

西岸を支配しているのは、パレスチナ自治政府（ＰＡ）です。イランは、今度は西岸のハマスに大量の資金・武器援助をして、西岸のＰＡを打倒するでしょう。２００７年にハマスがガザで武装蜂起してＰＡを打倒したのと同じです。

イランは、イスラエルに「攻撃するぞー！　ミサイル撃ち込むぞー！　やるぞー！」と言っていますが、あれは常にいつもああやっているのです。

しかし、イランはアメリカに体制を潰されるような、そんな軽率な行動には出ません。ゆえにアメリカが対イラン戦争にいきなり踏み切るという想定にそもそも無理がある。

そして、もしそんな事態になった時に、日本にそれを止める力などないのは、言うまでもありません。あの安倍元首相ですら、イランとアメリカの仲介には完全に失敗した。安倍氏が仲介を目的にイランを訪問した際、イランは日本のタンカーを攻撃することでこれに応じた。

いったい日本はいつ、イランとアメリカの直接対決を止めるほどの絶大な影響力や外交力を獲得したというのでしょうか？

「イランは日本の伝統的友好国」で「日本はG7唯一のイランとの友好国として西側との仲介役を担える」というのが、外務省の「大方針」です。池内氏が代表を務めるROLESという「シンクタンク」は、外務省の補助金でプロジェクトを複数運営している。池内氏が現実を捻じ曲げ、妄想を展開してまで、外務省の「大方針」に「お墨付き」を与えるような発言を繰り返す背景には、このような事情、そして「カネの流れ」があると考えられます。

（2023年10月28日）

全体主義独裁国家VS自由主義諸国

ロイター通信が「ハマス幹部がモスクワ訪問、人質解放など巡り協議か」（2023年10月

27日配信）という記事を出しました。冒頭には次のようにあります。

〈ロシア外務省報道官は26日、パレスチナ自治区ガザを実効支配するイスラム組織ハマスの代表団が現在、モスクワを訪問していると明らかにした。タス通信によると、ハマス幹部のアブー・マルズーク氏も訪問しており、「ガザで拘束されている外国人人質の即時解放や、パレスチナ自治区からロシア人やその他の外国人の退避を確実にすることを巡り協議した」という。〉

日本のメディアはよく、ガザは「天井のない監獄」でどこにも逃げ場がないと悲壮感を漂わせますが、ガザを支配しているハマスの幹部は皆、カタールやトルコに住んでいるので、簡単に世界中を移動できます。

そして、どこに行っているかというとロシアに行く。ロシアで何をしているかというと、「人質解放や外国人退避」について相談しているという。

なんか妙に、「ちゃんとした人」を装っているわけですが、拉致したのはハマスであり、ハマスが解放すればいい話を、こうやってわざわざロシアまで行って「ロシアさん、どうするのが一番いいでしょう?」みたいなことをやるというパフォーマンスを示す。

しかも、ハマスはこういう声明を出しています。

〈ロシア通信（RIA）によると、ハマスは声明で「西側諸国が支持するイスラエルの犯罪」

を終わらせるためのロシアのプーチン大統領と外務省の努力を賞賛した。〉

もうお気づきだと思いますが、「ハマスVSイスラエル」というのは、「全体主義独裁国家VS自由主義諸国」です。

実は、水面下ではアラブ諸国とイスラエルの関係は構築されていました。しかし、その関係は、公にできるようなものではなかった。何よりも、「パレスチナ国家が樹立されるまではイスラエルなる国家の存在は認めない」という「パレスチナの大義」が重視されてきたからです。

それが変わったのが2020年のアブラハム合意です。イスラエルを認めないメリットがないことにアラブ諸国が気づき、加えてイスラエルと協力することのメリットにも気づいたからです。

10月7日のハマスのテロ攻撃を受け、イスラエルの自衛権を支持するといってイスラエル側に付くことを直ちに表明したのが、日本以外のG7諸国です。自由民主主義諸国です。

一方、ハマス支援をしているのは、ロシア、イラン、北朝鮮、トルコ、カタールです。イランがハマスにカネと武器を与え、武器の作り方を教えているのは既知として、米「ウォール・ストリート・ジャーナル」紙は2023年10月の大規模テロの前にハマスの戦闘員500人がイランで軍事訓練を受けていたと報じています。

トルコのエルドアン大統領も、ハマスは「テロ組織ではなく解放者」とはっきり言い、「愛国的組織」と絶賛していました。トルコは、ハマスに安全な隠れ家を提供している国の一つです。

カタールはやおら、8人のインド人に対して「イスラエルのスパイだ」として死刑判決を下しました。

中国はハマスを非難せず、即時停戦を求めることによって、間接的にハマスを支援している。

国連事務総長も、ハマスのテロはイスラエルの占領のせいで起こったんだみたいな演説を平気でしてしまっている。国連も全体主義独裁国家に支配されています。中国のウイグル人迫害は全く非難しないのに、イスラエルに対する非難は毎年何十回もやる。これが国連人権理事会です。

常任理事国ロシアがウクライナに軍事侵攻しても止められないし、やめさせられないし、何もできない。これが国連です。

ハマスを支援したり擁護したりしている国や主体は、皆、私の言う、いわゆる「あっち系」です。あっち系というのは今ある暮らし、家族、平和、秩序を破壊し、自らが新たな支配者として君臨しようと目論む国や人のことです。要するに極左です。今ある社会をめちゃくちゃにし、自分たちの理想郷を築こうと夢見る人たちです。今の世界のあり方、国際的ルール、国境、自由主義、民主主義、そういったもののすべてを憎んでいる人たちです。

彼らは、それを作り出し支配しているのがアメリカでありユダヤ人だと信じている。だから、ユダヤ人の国家として建設されたイスラエルを蛇蝎《だかつ》の如く憎悪するのです。

彼らにとって、イスラエル殲滅に邁進するハマスは前衛です。だから、ロシアも中国も北朝鮮もイランも、そして日本のＮＨＫやＴＢＳや朝日新聞や毎日新聞やその他のメディアも、日本の中東や国際政治や安全保障などをやっている研究者や大学教授も、みんな揃って、ハマスを擁護するのです。

彼らはハマスに頑張ってもらって、イスラエルを破壊してもらいたいのです。イスラエル破壊が、今ある世界秩序破壊の一里塚だと信じているからです。

（２０２３年10月27日）

ハマスの背後にいるイラン、ロシア、中国、北朝鮮

ハマスの指導者ハーリド・マシュアルが10月26日、エジプトのエルバラドＴＶに出演し、次のように述べました。

〈我々は中国やロシアのような超大国との協力を望んでいる。あなたに情報としてお伝えし

たいのは、ロシアは我々（の攻撃）から恩恵を受けたということです。なぜなら、我々は米国（の注目）を彼ら（ロシア）やウクライナからそらせたからだ。中国も同様です。中国は我々（の攻撃）をまばゆいばかりの手本と見ている。ロシアは我々に対し、10月7日に起きたことは軍事学校で教えられるだろうと言った。中国人たちは台湾で、10月7日にカッサーム旅団が行ったようなことを実行しようと考えている。アラブ人は世界に教訓を与えたのです。〉

マシュアルは、我々ハマスのバックにはロシアや中国がいる、ロシアや中国に感謝されるような、手本とみなされるようなすごいことをやったんだと得意げに語っていますが、私がここから理解するのは、ハマスが10月7日に開始した無差別テロ攻撃について、ロシアや中国といった「超大国」と情報交換をし、ロシアと中国がこれを「よくやった」と称賛しているようだ、ということです。テロ組織ハマスの民間人大虐殺を絶賛する。これがロシアと中国です。

ハマスはロシアと「友好関係」にあり、ハマスはロシアのウクライナ侵攻についても「米国支配を終わらせ、世界を多極化するのが目的だ」と支持を表明しています。ハマスは、ロシアのウクライナ侵攻を明確に支持している数少ない「主体」の一つです。「主体」とはいっても、ハマスの実態はイスラム過激派テロ組織です。

ハマスの幹部は10月にもロシアを訪問しています。「ガザ侵略におけるシオニスト占領者に対するあらゆる手段での抵抗の権利」と「欧米が支持するシオニストの犯罪をやめさせる方法」について話し合ったと発表し、「ハマス代表団は、プーチン大統領の姿勢と、積極的なロシア外交の努力を高く評価する」という声明を出しています。

一方、プーチン氏は、ウクライナとイスラエルにおける戦争を、アメリカの世界支配に対する闘争の一部であると評価しています。ロシアは国連などでもパレスチナを支持する立場を打ち出し、イスラエルを支持する欧米をここぞとばかりに非難しています。

プーチン氏は、ハマスの攻撃の背景にはイスラエルの入植政策があり、これは「米国の中東政策の明確な失敗」だと主張しています。ロシアとしてはイスラエルの戦争に米国が巻き込まれ米国が弱体化すれば、それは願ってもないことです。そうでなくとも、米国の政策の失敗を論《あげつら》うことで、米国の権威失墜、超大国としての終焉を世界にアピールするチャンスになる。

ロシアは外交的に、あるいは情報戦争上でハマスを支えているだけではなく、武器支援をしているとも報じられています。ウクライナの国防情報長官は10月、ロシアがウクライナで奪った欧米製の武器をハマスに供与したと述べました。ウクライナ当局は、これはロシアがウクライナの信用を失墜させ、西側諸国との関係に亀裂を生じさせるための作戦であるとしています。

西側諸国がウクライナに供与した武器をハマスが使用しているとなれば、ウクライナに疑念の目が向けられる、それを狙ったのだというわけです。

ハマス戦闘員にドローンの操縦法を教えたのはロシアだ、という報道もあります。ロシアがアサド政権に供与した武器がハマスの手に渡っている件も、以前から報じられています。

イランは、資金援助に加えてハマスの戦闘員に軍事訓練を施している。10月7日大虐殺の前にも、イランはハマスの戦闘員500人を国内で訓練していたと報じられました。

ハマスに武器を供給したり、民生品を利用して武器を作る方法やトンネルを張り巡らせる作戦を指導したりしたのもイランです。

北朝鮮もハマスに武器を提供しています。ハマスの使用している武器の中に北朝鮮製のものがあることがすでに判明しているのに加え、韓国の情報機関である国家情報院は、金正恩・朝鮮労働党総書記がパレスチナを包括的に支援するための方策を探るよう指示したとする情報をつかんだ、と明らかにしました。

韓国情報機関は、これまでにも北朝鮮はハマスやヒズボラに対戦車武器やロケット砲などを売却したことがあるため、武装組織や途上国などに兵器を売る可能性がある、としています。ハマス幹部も「北朝鮮は我々の同盟国だ」と宣言している。

日本のメディアや「専門家」は、ハマスの背後にイラン、ロシア、中国、北朝鮮がいて、それらが資金、武器、情報など多方面から強力にハマスを支援していることをほとんど伝えません。ハマス支援者のうち、3か国は日本の隣国であり、核兵器を保有し、日本の安全を脅かす日本の脅威であることも報じません。

その代わりに、ハマスを擁護したりハマスのテロを正当化したりするような報道を繰り返す。さらにハマス掃討作戦を行っているイスラエルが、パレスチナ人を大量虐殺しているかのような報道で「イスラエルは悪」と印象付けようと躍起になっている。

日本の極端に偏向した中東報道から理解できるのは、日本のメディアや「専門家」という集団が、日本を弱体化させたい人々によって支配されている構造です。この構造が温存される限り、日本の中東報道や中東研究が中立・公正で客観的なものになる可能性はありません。

なぜなら、彼らにとって中東は、自分たちに都合のいい、日本を弱体化させるイデオロギーを広めるのに利用できる格好のネタだからです。彼らがこんなおいしいネタを手放すわけがない。

SNSの時代になり、誰もが手軽に世界の情報を得られるようになった今、彼らがほしいままに情報を支配し、人々の印象を操作することのできるジャンルはますます少なく、限定されてきています。

しかし、情報社会になった今も、中東だけは多くの人にとってわかりづらい。だから、メディアも「専門家」も、「中東は難しい」「中東は複雑だ」と強調し、「一般人はオレたちのいうことを聞いておけばいい」と訓示する。一般人に考える余地を与えず、偏った情報で洗脳しようとする。彼らは、日本人が正しく中東を理解しては困るのです。

反日報道、反日「研究」をしたい、報道や研究を政治活動に利用したい集団にとって、中東はおそらく「最後の砦」です。だからこそ中東は、利権の巣窟でもある。

私はそれを崩したい。

事実を積み上げて一般の人々に届けさえすれば、それは可能だと信じています。

かつて、メディアは北朝鮮を「地上の楽園」と絶賛し、誰も彼もが「中国こそが米国に取って代わる超大国」で「日中友好こそが日本の未来」と信じ込まされていた。

しかし、今は違います。

ハマスのようなイスラム過激派テロ組織を擁護し、イランのようなテロ国家を「親日国」と絶賛する日本の歪んだ中東報道や中東研究、中東外交も、いつか変わると信じています。

（2023年11月5日）

本書はｎｏｔｅ「飯山陽のメディアが伝えない本当の世界」（２０２０年6月14日〜２０２３年11月27日）に連載された記事に、「『宣伝としてのテロ』ハマスの狙う〝利権〟には日本の金も…攻撃の背景にパレスチナ内部抗争、対イラン制裁緩和の影響も」（ＦＮＮプライムオンライン、２０２３年10月12日）、「岸田政権の〝亡国〟中東外交　国際的孤立を招き、安全保障脅かすおそれも…ハマスのテロ攻撃めぐる対応の危うさ」（同11月1日）を加えて編集し、加筆・修正したものである。

飯山 陽（いいやま・あかり）
1976（昭和51）年東京生まれ。イスラム思想研究者。麗澤大学国際問題研究センター客員教授。上智大学文学部史学科卒。東京大学大学院人文社会系研究科アジア文化研究専攻イスラム学専門分野博士課程単位取得退学。博士（文学）。『ニューズウィーク日本版』、産経新聞などで連載中。著書に『中東問題再考』『イスラム教再考』（以上扶桑社新書）、『イスラム教の論理』（新潮新書）、『エジプトの空の下』（晶文社）など。
XやYouTube「飯山陽のいかりちゃんねる」、noteでイスラム世界の最新情報と情勢分析などを随時更新中。

扶桑社新書486
ハマス・パレスチナ・イスラエル
メディアが隠す事実

発行日 2024年1月1日　初版第1刷発行
　　　　2024年1月30日　　第3刷発行

著　者………飯山 陽
発行者………小池 英彦
発行所………株式会社 育鵬社
〒105-0023 東京都港区芝浦1-1-1 浜松町ビルディング
電話03-6368-8899（編集） https://www.ikuhosha.co.jp/
株式会社 扶桑社
〒105-8070 東京都港区芝浦1-1-1 浜松町ビルディング
電話 03-6368-8891（郵便室）
発　売………株式会社 扶桑社
〒105-8070 東京都港区芝浦1-1-1 浜松町ビルディング
（電話番号は同上）
印刷・製本………株式会社広済堂ネクスト

Printed in Japan　ISBN 978-4-594-09677-9
本書のご感想を育鵬社宛てにお手紙、Eメールでお寄せ下さい。
Eメールアドレス　info@ikuhosha.co.jp